CW00393063

4 soeurs
En colo

Du même auteur, dans la même série :

Quatre sœurs en vacances

Quatre sœurs à New York

Quatre sœurs dans la tempête

Quatre sœurs en scène

Quatre sœurs en direct du collège

Du même auteur, dans la même collection :

Au secours ! Mon frère est un ado

Le garçon qui ne voulait plus de frère

Une île pour Vanille

Isis, 13 ans, 1,60 m, 82 kilos

Du même auteur, en grand format :

Dix jours sans écrans

15 jours sans réseau

Quatre sœurs et un Noël inoubliable

SOPHIE RIGAL-GOULARD

Illustrations de Diglee

RAGEOT

À mes élèves de CM2.
Merci pour cette « dernière » année
en votre compagnie.

Cet ouvrage a été imprimé sur un papier
issu de forêts gérées durablement,
de sources contrôlées.

Couverture : Diglee

ISBN : 978-2-7002-5463-1
ISSN : 1951-5758

Une colo qui glisse

– Esprit Gliiiissse ! Je suis prise sur Esprit Gliiiiisse ! crie Lou en passant devant ma chambre en mode fusée.

Lisa sort la tête dans le couloir et tourne son index autour de sa tempe.

– Ça ne s'arrange pas ! soupire-t-elle.

– C'est même de pire en pire, j'ajoute tandis que la voix de Lou continue à résonner dans la maison.

– Pourquoi Lou crie que les prix glissent ? nous interroge Luna.

Lisa grimace en déclarant :

– C'est l'esprit qui glisse, tu n'as rien compris !

Luna me regarde, encore plus perplexe.

– C'est sûrement le nom de sa colo, je lâche agacée. Elle ne parle que de ça !

Lisa et Luna approuvent en secouant la tête. Depuis que Lou a passé le Brevet pour être animatrice, elle nous casse les oreilles. Et pourtant, avec mes deux petites sœurs, on s'y connaît en matière de bruit ! Nos parents Stéphanie et Stéphane Juin, surnommés les Steph au carré, affirment que « celui ou celle qui saura faire taire les quatre L n'est pas né ».

Une famille de quatre filles, ça déménage, c'est vrai !

Lou aura dix-sept ans dans quelques jours et, en tant qu'aînée de la famille, elle vit toujours des « expériences passionnantes ». En ce moment, elle se prend pour la future animatrice de colo qu'elle n'est pas encore et nous abreuve « d'activités-jeux au top pour occuper nos journées ».

Lisa ma cadette va avoir neuf ans. Elle se passionne pour mille sujets à la fois et ne rate jamais une occasion de nous faire part de TOUTES ses découvertes !

Luna, notre petite dernière, s'est transformée parce qu'elle rentre en grande section. Elle pleure seulement sur commande et a quitté le monde des Petits Poneys pour celui des Barbie. Je ne sais pas si on a gagné au change…

Quant à moi, Laure, je finis une année trépidante « d'étudiante en sixième » et comme, pour l'instant, mes parents ne veulent pas que j'aie un compte Facebook, je dessine tout le temps mes aventures dans mon carnet perso !

– Bon les filles, il va falloir que vous vous passiez de moi pendant le mois d'août, lâche Lou qui nous a rejointes. Sorry, mais je serai overbookée avec mon nouveau job.

– Oh non ! s'exclame Luna. Qui va m'aider à coiffer Barbie Sirène ? Laure et Lisa sont nulles en tresses.

– Tu peux toujours demander à maman de t'envoyer en colo ! lance Lisa en riant. Comme ça, tu pars à la fois avec Barbie Sirène et Lou coiffeuse…

– En plus, tu auras une super animatrice qui a l'esprit glisse ! je renchéris moqueuse.

Lou hausse les épaules avant de partir s'enfermer dans sa chambre.

– Je me demande ce que va dire Maxou, me chuchote Lisa. Il sera peut-être triste de ne plus voir sa chérie pendant dix jours.

C'est à mon tour de hausser les épaules. Depuis que ma sœur et Maxime sont ensemble, leur histoire n'arrête pas de s'arrêter… pour mieux recommencer !

– Maxou n'a qu'à faire comme Luna… Rejoindre bientôt Lou dans sa colo ! ajoute Lisa.

On rit en imaginant la tête de notre sœur aînée découvrant tout son entourage dans sa colo.

Comme on a quand même envie d'en savoir plus, on la rejoint dans sa chambre. Elle est sur Facebook en train d'annoncer à la Terre entière la future destination de ses vacances.

– Tu feras quoi dans ta colo qui glisse ? la questionne Luna en s'affalant sur son lit.

Lou prend son air d'adulte pour expliquer :

– Je vais encadrer des enfants qui se baigneront ou qui feront de la voile, des veillées, des jeux de piste…

– Trop géniaaal ! s'écrie Luna. Je peux venir avec toi ?

– Tu sais ma puce, je serai TRÈS occupée. C'est un VRAI travail qui m'attend.

– C'est pour ça que tu viens d'écrire « enfin des vacances cool ! » sur Facebook, dis-je après avoir jeté un œil sur l'écran de l'ordi.

– Vous êtes trop jeunes pour comprendre qu'il y a un moment où il faut se défaire du joug de ses parents, lâche Lou en soupirant. À mon âge, on a besoin de partir, de s'émanciper.

– Tu vas emporter du ciment en colo ? s'étonne Luna. Pour quoi faire ?

Lou me regarde, elle sait que je suis la reine pour décoder les questions bizarres de notre petite sœur.

– Lou ne va pas partir avec du ciment, elle parle de s'é-man-ci-per, j'explique patiemment. Elle a envie de vivre quelques jours de vacances sans les Steph au carré.

– Eh ben moi, je veux « sémanciper » aussi ! s'exclame Luna. Pour jouer avec mes Barbie la nuit si j'ai envie !

– Ah oui ! s'écrie Lisa. Ou manger des burgers à tous les repas.

– Et passer des vacances avec plein de jeunes ! j'ajoute enthousiaste.

– Ne rêvez pas trop, les filles ! nous lance Lou. Je vous rappelle que c'est MA colo sans parents, pas la vôtre ! Vous attendrez votre tour…

Je grimace. Je me serais bien imaginée sur un catamaran avec une bande de copains. Je suis toujours partie en vacances en famille. Grâce aux Steph au carré, nous avons découvert Montfloury, un merveilleux coin de montagne où on a vécu deux séjours inoubliables, et New

York qui nous a mis des étoiles plein les yeux. La seule fois où nos parents sont partis sans nous, c'est au mois de juillet, pour aller au Sénégal. Mais ils ont demandé à notre tante Caro de s'occuper de nous. Ce qui nous a permis de monter un spectacle d'enfer !

Cette fois, je me verrais bien en pleine « sémancipation » moi aussi...

Le cri de rassemblement que pousse maman interrompt ma rêverie.

– Les fiiilles ! Réunion dans le salon !

– Hello girls ! s'exclame papa alors qu'on court *toutes* s'affaler sur nos poufs préférés. Ça boume ?

Notre père a souvent des expressions qu'on n'utilise plus depuis la Préhistoire !

– Oui papounet, ça boume dans les chaumières ! se moque Lou. D'autant plus que, comme te l'a dit maman, en juillet, je pars un mois à Saint-Gilles-sur-Mer avec la colo Esprit Glisse !

– C'est trop de la balle, une colo ! commente maman.

Lou fronce les sourcils et je l'imite. Si maman se met aussi à utiliser des formules de la Préhistoire, il y a un gros problème.

– Ah oui, c'est trop top, ajoute papa. Et en Vendée, c'est carrément cool !

Cette fois-ci, même Lisa prend un air inquiet. Les Steph au carré en font des tonnes, ils ont forcément quelque chose à nous annoncer.

– Et moi, j'aimerais vraiment « sémanciper » avec Lou pour amener Barbie Sirène et qu'elle continue à la coiffer en colo ! crie une Luna enthousiaste.

– T'émanciper ? lui répond mon père. Mais tu n'as que cinq ans, ma chérie !

– Oh oui ! continue Luna en sautillant sur place. Lou dit qu'on a le droit de ne pas dormir si on veut !

– Je n'ai jamais dit ça, proteste Lou. C'est quoi ce délire ? Et d'abord, pourquoi vous nous avez *toutes* réunies ?

Il y a un moment de silence dans le salon. Les Steph au carré ne semblent pas très à l'aise.

Luna regarde Lisa qui me fixe tandis que je louche vers Lou.

– J'ai reçu une invitation pour un congrès de quelques jours dans le Sud-Est et je comptais m'y rendre avec votre mère, explique papa d'un air gêné.

– Et on pensait inscrire tes sœurs en colo pendant ce temps, ajoute maman d'une toute petite voix.

Dans la seconde qui suit, Lisa et moi poussons des hurlements de bonheur qu'on complète par une danse de la joie.

– Vous voulez dire que je vais partir avec les sœurs ? demande Lou qui est devenue plus blanche que le pouf sur lequel elle est assise.

– Non, Luna est trop petite, précise maman en prenant l'intéressée sur ses genoux. Tatie Caro va la garder chez elle.

Cette idée n'a pas l'air d'enchanter Luna qui se met à pleurer.

– Et pourquoi moaaaaa, j'ai pas le droaaaaa d'aller en coloooooo ? s'écrie-t-elle. Je veux partiiiir avec Louououou…

– Mais tatie Caro est super ! clame Lisa. On s'éclate toujours avec elle et Jérémy !

Pendant que maman essaie de consoler Luna qui dépasse allègrement son quota de larmes du mois, papa tente de raisonner Lou qui fait une tête de six kilomètres de long.

Moi, je ne touche plus terre.

Une VRAIE colo. Avec du sport, des jeux de piste, des veillées.

L'occasion de rencontrer des tonnes de nouveaux amis.

Je m'imagine déjà dans une super bande après une belle journée de glisse…

Lou a raison. Il y a un moment dans la vie où il est important de s'émanciper !

Ouh là ! On s'en va !

– Et la trousse de secours ? Tu as pensé à la prendre ? J'y ai mis la crème solaire. Et n'oublie pas, une couche bien…

– … épaisse avant chaque exposition au soleil, je complète dans un soupir. Et une autre après la baignade.

Maman vient d'entrer pour la sixième fois dans ma chambre. Je suis étonnée qu'elle ne se soit pas encore écroulée de fatigue vu ses allers-retours incessants entre la chambre de Lisa et la mienne.

Depuis ce matin, elle fait un point saccolo toutes les dix minutes !

Nous avons rendez-vous à la gare en début d'après-midi où deux moniteurs géreront notre voyage en train jusqu'à la station de Saint-Gilles-sur-Mer. Lou est partie il y a deux jours. Elle devait rejoindre la « team glisse » avant l'arrivée des vacanciers. Quand je pense que Lisa et moi en faisons partie, j'ai des frissons de bonheur !

– C'est plutôt cool ici, nous a expliqué notre sœur aînée hier soir au téléphone. Grande plage. Grand centre. Les douches sont propres.

– C'est tout ce que tu peux nous raconter ? j'ai demandé déçue.

– J'ai une réunion animation SUPRA importante ! a répliqué Lou. Je ne vais pas passer ma life à te décrire la région ! Prépare ton sac et n'oublie rien.

Ça ne s'arrange pas avec Lou, comme le dit Lisa.

Depuis qu'elle sait qu'on va la rejoindre en colo, elle se prend pour notre animatrice ! Il n'y a que Luna à qui elle parle sans donner d'ordres ! Il faut dire que notre petite sœur pleure dès qu'elle entend le mot « colo ».

Elle s'apprête d'ailleurs à partir chez tatie Caro qui rentre juste de vacances et elle nous regarde les yeux pleins de larmes.

– Laure, Lisa, lâche-t-elle d'une voix chevrotante, vous allez troooop me manquer !

J'avais prévu l'arrivée du tsunami.

– C'est pour toi, ma puce ! je déclare en lui tendant sa Barbie Star coiffée comme une mariée.

J'ai mis plus d'une heure pour obtenir ce résultat. Les larmes de Luna s'arrêtent immédiatement tandis que Lisa en profite pour lui apporter la Barbie Princesse qu'elle a outrageusement maquillée et recouverte de tattoos.

– Comme ça, elle est prête pour toutes les cérémonies qu'elle va vivre chez tatie Caro, lui explique-t-elle gravement.

Luna serre ses deux poupées préférées dans ses bras et nous supplie :

– Vous me téléphonerez tous les jours hein ?

– Oh oui, affirme Lisa. Moi, au moins deux fois par jour ! Et je t'écrirai une lettre par semaine.

On accompagne Luna jusqu'à la voiture où maman l'attend. Notre petite dernière agite une dernière fois la main en s'essuyant les yeux.

– C'est horrible de l'abandonner comme ça. On n'est plus que deux L à la maison maintenant ! déclare Lisa, émue, en regardant la voiture s'éloigner.

– Tu peux toujours rester chez tatie Caro, toi aussi ! Tu veux que j'appelle maman pour qu'elle revienne te chercher ?

– Même pas en rêve ! crie ma sœur qui oublie vite son émotion. Hors de question que tu rejoignes Lou toute seule !

Et elle se précipite vers la maison pour finir son sac.

À treize heures, nous sommes sur le quai de la gare avec les Steph au carré.

Maman n'a pas pu s'empêcher de réinterpréter la liste « affaires à emporter » envoyée par le centre qui nous accueille. Elle a ajouté dans nos valises trois pulls, un anorak et un duvet.

– Je te rappelle qu'on part en colo au bord de la mer, maman, j'ai lâché en enlevant le bonnet qu'elle avait glissé dans un coin de mon sac. Et au mois d'août, c'est rare qu'il neige !

– Sur l'Atlantique, le temps est très changeant, a-t-elle expliqué sans se démonter.

Résultat, Lisa et moi avons un sac énorme par rapport aux autres ados qui nous rejoignent. Le moniteur qui nous accueille, un grand barbu aux yeux clairs et aux cheveux blonds, le remarque immédiatement.

– Ouh là ! Vous avez l'intention de rester à la colo jusqu'au mois de septembre, les sœurs... Juin ? nous demande-t-il en cochant au passage notre nom sur sa feuille d'appel.

Je deviens toute rouge.

Moi qui déteste me faire remarquer, c'est raté !

Deux filles regardent dans ma direction en chuchotant. Je suis certaine qu'elles se moquent de mon sac-bibendum. Lisa, beaucoup plus à l'aise que moi, précise :

– Notre mère a toujours peur qu'on ait froid. Je me suis renseignée sur le climat de la Vendée au mois d'août, il peut varier entre très humide à variable et sec avec des courbes de température qui vont de 15 degrés à 24 degrés selon les années.

– Ouh là ! Tu es une bavarde, toi ! constate le moniteur avant de s'éloigner pour accueillir les jeunes qui arrivent.

Lisa ne se formalise pas. Elle se tourne vers son voisin qui a l'air passionné par ses commentaires sur la météo en Vendée. Papa se penche vers moi pour m'adresser d'ultimes recommandations.

– Sois prudente en mer, écoute bien les moniteurs. Protège-toi du soleil. Je t'ai ajouté une petite trousse de secours au cas où...

– Donnez-nous de vos nouvelles régulièrement. Lou m'a promis qu'elle vous prêterait son téléphone, ajoute maman. Veille sur Lisa aussi, ma chérie. Tu sais qu'elle est timide. Et le soir, si tu as froid, pense à mettre ton gros pull bleu.

C'est le moment pour moi de « s'émanciper » ! Maman s'apprête à me prendre dans ses bras comme pour un câlin du soir. Elle n'a pas réalisé qu'on est DANS UNE GARE et qu'il y a environ MILLE personnes autour de nous, dont des filles et des garçons qui vont PARTAGER MA VIE pendant dix jours !

Je lui montre le groupe d'ados qui emboîte le pas au moniteur. Je fais une bise rapide sur la joue des Steph au carré et, après avoir saisi mon sac qui pèse trois tonnes, je me tourne vers mon avenir. Mes parents veulent nous escorter jusqu'à notre wagon mais le moniteur se tourne vers eux.

– Ouh là ! Il faut laisser les oiseaux quitter le nid. On est deux pour gérer le groupe, don't worry, be happy.

Papa et maman font une grimace-sourire et je leur envoie discrètement un dernier baiser de la main avant de foncer vers le train de la liberté.

Lisa me suit de près, toujours accompagnée par son admirateur. Quinze bonnes minutes plus tard, nous sommes tous installés dans le wagon avec la monitrice qui nous attendait. Notre groupe est composé d'une douzaine d'enfants et d'ados entre huit et treize ans. Je repère deux filles et deux garçons qui ont l'air d'avoir mon âge mais ils occupent une banquette face à face et je me retrouve donc assise avec le groupe des plus jeunes dont Lisa fait partie.

– Ouh là, on est déjà au complet ! crie l'animateur qui nous rejoint. C'est incroyable mais il n'y a aucun retardataire !

Le train démarre quelques minutes après.

– C'est l'heure des présentations. Est-ce que tout le monde connaît nos prénoms ? questionne le moniteur en désignant la monitrice.

– Tu t'appelles Oula ? lance un des garçons de mon âge.

– Ouh là ! C'est qu'il a de l'humour ce jeune homme ! réplique le moniteur en souriant. Moi, c'est Tom. Je m'occupe de la team 10-12... Et ma valeureuse coéquipière qui va gérer les 8-10 s'appelle Olga.

– Oh le gars ? demande le même garçon. C'est pas un prénom de fille, ça !

Les quatre jeunes de mon âge éclatent de rire et j'ai une folle envie de les rejoindre.

Pendant les trois heures de voyage, j'ai le temps d'apprendre leurs prénoms.

Le comique de la bande s'appelle Nicolas et son copain Nathan.

Les deux filles se prénomment Amandine et Adriana.

Je louche vers eux mais je n'ose pas aller leur parler.

En fait, je n'ouvre pratiquement pas la bouche à part pour répondre à deux questions de Lisa qui, comme elle est très timide, a déjà un groupe d'amis avant de descendre du train !

À l'arrivée à la station de Saint-Gilles-sur-Mer, je suis démoralisée. Et quand le bus qui nous attendait à la gare nous dépose au centre, je frôle la dépression.

Il pleut. L'eau ruisselle à grosses gouttes sur les petits voiliers amarrés au ponton sur la plage et sur les planches à voile alignées dans des casiers en bois. Les deux bâtiments qui nous accueillent ont l'air super vieux. Ma chambre ressemble à la salle de l'infirmerie de mon collège.

En plus, on m'a mise dans la team des 10-12 alors que j'aurai bientôt treize ans !

Normalement, on est trois par chambre et je suis seule. Pour me rassurer, Tom m'a expliqué que tous les participants à la colo n'étaient pas encore arrivés.

Comme on frappe à ma porte, je me précipite pour accueillir ma future copine. Elle entre en me saluant à peine. Elle pleure en se mouchant bruyamment…

Luna, sors de ce corps !

Mais QUI a eu l'idée de m'envoyer dans cette colo ?

The queen of the planche

– Je déteste la mer, je déteste cette région, je déteste les sports de glisse et je déteste les colos. Ce sont mes parents qui m'ont OBLIGÉE à venir ici. Ils pensent que je dois rencontrer des jeunes de mon âge.

En rangeant mes affaires, je louche vers la porte en espérant que des filles plus drôles vont arriver. Malheureusement, Victoire, qui se mouche bruyamment toutes les deux minutes, semble être ma SEULE coloc ! Elle est habillée comme en plein hiver. Elle n'a pas enlevé le bonnet qui recouvre sa longue chevelure noire et l'eau dégouline sur ses pieds. À l'heure de la team rencontre, elle s'allonge sur le lit et murmure d'une voix sinistre :

– Je reste ici. Je déteste les réunions !

Je laisse ma coloc déprimer et je rejoins la salle réservée aux 10-12. Je reconnais le quatuor du train et je m'assois discrètement à leurs côtés. Il y a aussi deux garçons et deux filles que je découvre pour la première fois.

Tom nous demande de nous présenter et chacun lance timidement son prénom et sa ville de provenance. Seul Nicolas le comique est très à l'aise et amuse l'assistance. Ensuite Tom nous décrit la colo et ses activités et Anne la directrice fait un petit discours d'accueil. De ses paroles, je retiens surtout qu'après le dîner nous participerons à notre première soirée.

Au réfectoire, Victoire m'attend déjà.

– Je déteste les carottes, lâche-t-elle en reniflant. Je suis sûre qu'on en aura à tous les repas... En plus, je déteste cette salle, j'ai l'impression d'être à la cantine du collège.

Je ne lui parle pas de la soirée prévue après le repas parce que j'imagine qu'elle déteste AUSSI les soirées. D'ailleurs, pendant le dîner, elle affiche une mine tellement lugubre que PERSONNE n'a envie de discuter avec nous. En sortant du réfectoire, j'évite soigneusement de la suivre et je croise Lisa qui rejoint Olga et sa team 8-10. Obéissant à la demande de maman, je prends de ses nouvelles.

– C'est trop géniaaaal ici ! s'écrie-t-elle en sautillant sur place. Je ne veux plus repartiiir !

J'essaie de prendre un air décontracté et je lâche :

– Ouais, c'est coool ! Tu as vu Lou ? Tu as téléphoné à Luna ? Tu lui as promis que tu l'appellerais deux fois par...

– Pas le temps ! lance Lisa sans me laisser finir ma phrase. J'ai trop de trucs à faire !

Ma petite sœur suit ses copains qui s'éloignent. Je décide donc de partir à la recherche de la grande. Je l'aperçois sous le hangar à bateaux de la colo. Un jeune se tient devant elle et il mime des positions sur une planche à voile ce qui met en valeur ses muscles sous son tee-shirt hyper moulant.

– Laure ! crie-t-elle, surprise, lorsqu'elle m'aperçoit ENFIN. Mais qu'est-ce que tu fais là ?

Je la regarde en fronçant les sourcils.

– Ah mais que je suis bête ! Tu viens d'arriver ! ajoute-t-elle en agitant sa longue chevelure. Je... Je te présente Ken, ton futur prof de planche à voile.

Lou désigne Monsieur Muscles mais il a déjà quitté la scène.

– Il s'appelle VRAIMENT Ken ? Comme le copain de Barbie ? je lui demande en riant.

Ma sœur me jette un regard qui tue.

– Écoute, Laure, si tu viens dans le groupe des animateurs pour lancer des vannes débiles...

Je prends un air suffisamment navré pour que Lou se radoucisse et me serre contre elle pour me saluer.

– Je vais te présenter ma team ! me propose-t-elle en prenant ma main.

Dans le petit groupe des 5-7 ans dont elle s'occupe, il y a quatre garçons et quatre filles. On dirait des Luna bis !

– Louououou ! crie l'une d'entre elles. Tu me feras une tresse africaine comme Jade ?

– T'es qu'une copieuse ! pleurniche sa copine.

– Lou a dit qu'elle s'occupait d'abord de moi, se plaint une troisième.

Ma sœur prend très vite la situation en main. Elle me promet d'envoyer un texto à Luna et je rejoins ma team.

Nicolas, Nathan, Adriana et Amandine sont déjà installés dans notre salle avec Tom.

Ils parlent à voix basse et rient sans se soucier des autres.

– Victoire était très fatiguée, m'apprend Tom, elle a préféré aller se coucher.

Je n'ai VRAIMENT pas de chance. J'ai hérité de la pire coloc de la colo ! Pauline et Judith, deux filles de ma team qui partagent la même chambre, semblent s'entendre à merveille. Lyès et Kyllian, deux autres colocs du groupe, sont super timides. Finalement, après deux heures de quiz et des jeux de rapidité et de mémoire, je ne fais toujours pas partie d'une bande… Et je regagne ma chambre, le moral dans les chaussettes. D'autant plus que la pluie s'est remise à tomber.

Je commence à me demander si je ne serais pas mieux chez tatie Caro avec Luna !

Heureusement, ce matin, le soleil a fait son apparition et, par la fenêtre, j'aperçois l'Océan. Il a des reflets dorés qui donnent envie de plonger dans ses vagues ! Il est encore tôt pour le petit-déjeuner mais je ne tiens plus en place.

Je m'habille en silence pour ne pas réveiller Victoire et je rejoins le réfectoire qui est désert, ou presque. J'aperçois juste une silhouette encapuchonnée, de dos, immobile devant une fenêtre.

Comme je passe tout près, la silhouette se retourne et sa capuche tombe. J'ai le temps d'apercevoir un garçon, que je dois déranger puisqu'il me regarde dans les yeux avant de pousser un soupir d'agacement.

Je reste pétrifiée devant le buffet du petit-déj. C'est un choc absolu puisque le garçon qui vient de plonger son regard dans le mien est encore plus beau que Martin de la quatrième 2, « THE » référence pour toutes les filles de mon collège !

C'est évidemment le moment que choisit mon bol de lait pour s'écraser par terre dans un bruit effroyable.

J'ai à peine le temps de tourner la tête que l'Apparition a déjà disparu.

Heureusement, Tom, mon moniteur, fait son entrée et toute ma team le suit de près.

Victoire, qui vient de me rejoindre, murmure :

– On reste ensemble hein ? Ce matin, on commence par quoi ?

Visiblement, ma coloc a très envie de former un groupe JUSTE avec moi. Je soupire avant de lâcher :

– On a un cours de planche à voile... Il paraît que Ken, le prof, est au top !

– Tu connais DÉJÀ les profs ? s'étonne Pauline qui écoutait notre conversation.

– Un peu... Je connais aussi super bien l'une des monitrices.

– C'est cool ça ! Tu nous présenteras ma copine et moi ? insiste Pauline en se rapprochant de moi.

J'affiche un air modeste mais quand, un peu plus tard, on se retrouve sur la plage devant le moniteur de planche, je ne peux pas m'empêcher de lancer :

– Salut Ken ! Tu n'as pas vu Lou par hasard ?

– On se connaît ? me demande Ken en attachant ses longs cheveux. Lou… C'est qui ?

Comme je viens de me prendre un blanc, je décide d'inspecter le sable avec attention. Ça m'apprendra à faire ma crâneuse !

Ken nous explique quelques rudiments de vocabulaire et les gestes essentiels avant de nous envoyer chercher des combinaisons dans les vestiaires.

– L'eau est froide ce matin et vous allez tomber souvent à l'eau…

Enfiler la combinaison est l'un des pires moments de ma vie. Il faut se transformer en reptile ondulant pour y entrer. Quand on revient sur la plage, on ressemble à des phoques ! Comme Ken nous distribue en plus des gilets de sauvetage fluo à porter par-dessus nos combis, je fais une prière mentale pour que l'Apparition ne passe pas dans le coin et me voie ainsi déguisée…

– J'étouffe là-dedans, me souffle Victoire qui grimace comme Luna quand elle veut retenir ses larmes. Je déteste les combinaisons.

Je m'apprête à lui répondre lorsque Ken crie :

– La petite brune là-bas ! Tu vas débuter sur la planche et servir d'exemple pour tes copains !

Je me retourne pour voir qui Ken désigne du doigt.

– Toi ! insiste-t-il. Tu as l'air de me connaître, ne fais pas ta timide.

– Je détesterais être à ta place, murmure Victoire d'une voix lugubre.

C'est bien MOI que Ken montre.

Et c'est bien MOI qui grimpe la première sur la planche à voile. Je me sens aussi à l'aise que si je montais sur scène devant dix mille personnes !

Mais on ne peut pas TOUT rater dans la vie !

Grâce aux explications de Ken, je manie plutôt bien la voile. Au bout d'une heure, j'arrive à m'éloigner vers le large et à revenir.

– Tu es vraiment douée ! commente mon prof à la fin du premier cours. J'ai envie de te passer directement au niveau supérieur.

Les neuf visages du groupe se tournent vers moi, admiratifs.

Seule Victoire grimace parce qu'elle réalise que je vais peut-être la quitter.

Moi, je ne touche plus terre. Appelez-moi « the queen of the planche ».

Un duo de choc

Après notre cours avec Ken, Victoire ne me quitte plus comme si, d'une seconde à l'autre, j'allais monter sur ma planche et m'enfuir au large pour ne plus jamais revenir ! En fin d'après-midi, Tom nous propose un karaoké en duo.

– On se met ensemble, déclare-t-elle.

J'ai bien l'intention de lui dire que c'est important de se mélanger aux autres. Mais dans ma team les duos sont déjà formés donc je n'ai pas le choix.

Tom sélectionne quelques chansons et Victoire les déteste TOUTES ! Je finis par la convaincre de retenir un titre ultra connu pendant que Judith et Pauline chantent ensemble.

– Prêtes les filles ? nous lance ensuite notre moniteur. C'est à vous.

Je hoche la tête, peu convaincue, mais, à ma grande surprise, Victoire ne râle pas. Elle saisit le micro et... on reste scotchés à nos sièges.

– The miraaaacle of looove... chante-t-elle sans une seule fausse note. It's a miraaacle...

C'est exactement ce qui se passe pendant cette soirée.

Un miracle.

Victoire n'est plus ma coloc dépressive mais une chanteuse incroyable ! Quand je dois prendre le micro à mon tour, je suis plus tendue qu'un arc. C'est comme se lancer à l'eau après le passage d'une championne olympique.

À la fin de la chanson, notre team se lève et nous applaudit, même si on sait bien que la grande gagnante est Victoire !

C'est d'ailleurs ce que Tom annonce :

– Victoire et Laure, vous formez le duo gagnant. Et je peux déjà vous annoncer votre cadeau. Vous partez demain matin pour une mini-croisière en catamaran avec Alexis, le prof de voile.

Je souris tellement que j'ai mal aux mâchoires. Je suis certaine que les filles regrettent de ne pas avoir choisi Victoire comme partenaire ! Celle-ci reprend son air renfrogné.

– Je déteste la glisse, j'aurais dû chanter faux, me murmure-t-elle.

J'essaie de la persuader du contraire alors qu'on se dirige vers nos chambres, mais Lou m'interrompt.

– Réunion de crise au plus vite ! m'ordonne-t-elle. Je viens de recevoir un SMS de Caro. Luna n'arrête pas de pleurer !

Les réunions de crise ont lieu régulièrement à la maison. Dès que l'une des 4 L a un gros souci ou un grand chagrin, les trois autres L tentent de trouver une solution, ou au moins de la consoler durablement. C'est quand même la première fois que nous allons gérer une réunion de crise par téléphone.

Lou repart à toute vitesse vers la team 8-10 pour chercher Lisa et je cours derrière elle, suivie évidemment par Victoire qui ne me laisse pas m'enfuir. On finit par dénicher notre petite sœur au milieu d'une bande de copains, dont son admirateur de la gare…

Lou compose le numéro de tatie Caro qui nous passe une Luna en larmes.

– Alors ma puce ? demande Lou. Caro m'a dit que tu avais un gros problème, on t'écoute. J'ai mis le haut-parleur et on est *toutes* là pour toi.

– Ben... Tatie a invité Marine à dormir et Marine a voulu m'échanger ma Barbie Princesse contre sa Barbie Paillettes et moi j'ai dit ouiiiii. Et là, je veux pluuuus. Mais Marine, elle diiiiit non...

Les sanglots de Luna transpercent nos tympans et Victoire, peu habituée, se bouche les oreilles.

– Mais elle est super, Barbie Paillettes ! affirme Lou avec un air exaspéré.

– Ben oui ! insiste Lisa. C'était ma préférée avant.

– Et en plus, tatie peut te faire des jolis habits qui iront bien avec les paillettes, j'ajoute.

On passe un super long moment à convaincre Luna qui raccroche en affirmant que, finalement, Barbie Paillettes est sa poupée préférée.

Alors qu'on regagne notre chambre, Victoire avoue :

– J'aurais adoré avoir plein de sœurs comme toi…

C'est la première fois que ma coloc n'est pas négative ! Je la regarde, un peu surprise. D'un geste, elle repousse sa longue chevelure en arrière et me sourit. Son regard très noir s'illumine.

J'en reste sans voix. En moins d'une heure, je viens de découvrir deux choses incroyables sur Victoire.

Lorsqu'elle ne pleure pas, elle chante super bien.

Et elle sait aussi actionner ses muscles du sourire.

Ce matin, nous avons notre premier cours de voile sur des petits dériveurs.

– Voilà le duo de choc, lâche notre animateur lorsque Victoire et moi rejoignons notre team sur la plage. La reine du micro et la reine de la planche à voile !

Victoire est encore plus rouge que moi.

– Ouh là, elles font les timides ! commente Tom. Voici justement Alexis, votre prof de voile.

Un colosse d'au moins deux mètres de haut et un mètre de large nous rejoint. Il porte un anneau à l'oreille droite et un bandana sur la tête à la manière des pirates.

– Salut les jeunes ! nous assène-t-il d'une voix forte. Je m'appelle Alexis. Grâce à mes cours, après la colo, vous pourrez envisager le tour du monde à la voile ! Je suis un pro et je forme des pros.

– Il lui manque juste la jambe de bois pour compléter le tableau, murmure Victoire.

Je sens déjà que ma coloc va « détester » la mini-croisière AUSSI.

On suit Alexis qui nous entraîne sur le ponton, à côté des dériveurs.

Notre moniteur a un look impressionnant, mais il est d'une grande patience pour nous dispenser ses conseils.

En fin de matinée, le sens du vent devient une évidence tandis que les mots « tribord » à droite, « bâbord » à gauche n'ont plus aucun mystère pour moi.

Ensuite, on enfile combinaison et gilet de sauvetage pour monter sur notre dériveur afin de suivre Alexis qui nous précède sur son bateau à moteur... Sauf Victoire qui a fait un blocage quand on lui a proposé une petite traversée en solitaire. « Traversée » est un grand mot. Il s'agit juste de partir à la queue leu leu jusqu'à la bouée jaune au bout de l'anse, de virer et de revenir...

Pour l'instant, je me débrouille PRESQUE aussi bien que sur la planche à voile. Tout est une question de maîtrise du sens du vent !

– Bateau à tribord, euh non à bâbord ! lance Amandine qui me suit de près.

Avec une info pareille, je regarde dans la mauvaise direction. Un bateau à moteur s'approche de mon dériveur, ce qui crée pas mal de remous. J'ai le temps d'apercevoir plusieurs personnes à son bord.

Parmi elles, il y a les yeux bleus, la chevelure blonde et les taches de rousseur de MON APPARITION ! J'en perds le contrôle de ma voile qui se rabat violemment dans l'autre sens.

– Attention ! crie Amandine qui fait une savante manœuvre pour m'éviter.

Mon dériveur gîte dangereusement comme s'il hésitait, pour finalement choisir la solution la plus simple : se coucher ! Je suis éjectée comme une vulgaire brindille sous les cris affolés d'Amandine.

– Laure à la mer ! Laure à la mer ! hurle-t-elle pour alerter Alexis.

Le choc a été un peu violent mais mon gilet de sauvetage me maintient à la surface, je suis loin d'être en danger… Je subis juste la honte suprême d'être tombée à l'eau devant des milliers de témoins dont peut-être MON APPARITION.

Alexis me rejoint et me hisse sur son embarcation. Je suis frigorifiée même si j'essaie de montrer que je suis une vraie navigatrice ! Ensemble, on parvient à redresser mon dériveur et on rejoint la plage après l'avoir accroché derrière nous.

À l'arrivée, alors que notre groupe se dirige vers le réfectoire, je cours me changer.

Lorsque je suis enfin réchauffée, Alexis nous tend le panier contenant le repas que nous dégusterons en pleine mer et nous entraîne, ma coloc et moi, sur son catamaran pour la mini-croisière promise. Je bave d'admiration devant le voilier à double coque. À côté de nos petits dériveurs, il est grandiose ! Le vent a forci et on file à grande vitesse vers le large.

– C'est le bonheur total, la glisse, je lâche en profitant des embruns qui me chatouillent le visage.

– Moi, je préfère la terre ferme, murmure Victoire qui reste accrochée au bastingage.

Notre voyage dure près d'une heure pendant laquelle je décide que mon futur métier sera monitrice de voile.

Victoire, elle, descend du cata aussi blanche que les voiles qu'on a rabattues...

– Tu vas t'y habituer ! affirme Alexis. La mer, c'est addictif. On y revient toujours.

– Ou pas... lâche ma coloc qui se précipite aux toilettes en courant.

Pendant le dîner, j'arrive à discuter un peu avec Adriana et Amandine, les deux filles du quatuor. Je leur parle du bonheur que j'éprouve à chaque fois que je glisse sur l'eau.

– C'est sûr, commente Adriana d'un air pincé. Tout le monde n'a pas ta chance !

– Au top avec Ken à la planche… Une croisière avec Alexis… insiste Amandine. On voit que tu connais du monde, toi !

Je les regarde avec étonnement. Elles ne sourient absolument pas.

Seraient-elles jalouses ?

Comment former une vraie bande de copines si Victoire est la SEULE de LA COLO à apprécier ma compagnie ?

Et surtout comment tenir encore neuf jours ?

Des sauveteurs en action

Victoire me réveille ce matin.

– C'est bon signe ça, marmonne-t-elle en émergeant des draps.

– Qu'est-ce qui est bon signe ? je demande tout en bâillant.

– Tu n'entends pas ?

À l'instant où ma coloc prononce cette phrase, un déclic s'opère dans mon cerveau. Je sais ce que signifie le « plic plic plic » que j'entends depuis mon lit.

IL PLEUT À VERSE !

Victoire se lève et fixe l'eau qui ruisselle sur la vitre.

– J'adore ce temps, murmure-t-elle.

Ma coloc est VRAIMENT bizarre ! Elle se rue vers le placard, enfile un jean et un gros pull puis saute dans des bottes de pluie couvertes de petits nuages.

– On descend ? me propose-t-elle. Je suis ultra-prête !

La météo n'est pas bonne et, dans ces conditions, il nous est impossible de faire de la voile. Après le petit-déjeuner, Tom essaie d'organiser un tournoi de ping-pong mais il n'a pas beaucoup de succès. Je bavarde un peu avec Pauline et sa coloc. Très vite, la conversation tourne en rond. On dirait que le mauvais temps démoralise tout le monde…

Victoire finit par me rejoindre.

– Ça te dit un tour sur la plage, Laure ? Tu sais que les jours de pluie sont les plus sympas à la mer ? C'est dans ces moments-là qu'on remarque des trucs incroyables !

Elle insiste et me tire par le bras.

Je regarde dehors.

La pluie est moins forte et maman a glissé un imper dans une des poches de mon sac.

Et qui sait... Mon Apparition aura peut-être la même idée ?

Tom nous accorde la permission de sortir et, après un détour par ma chambre, je rejoins Victoire qui m'attend sous le hangar à bateaux.

Lou est là qui discute au téléphone. Elle fait de grands gestes et paraît très énervée. Lorsqu'elle m'aperçoit, elle raccroche et me rejoint.

– Max et moi, c'est fini, m'annonce-t-elle d'un ton lugubre.

– Mais... vous vous étiez réconciliés tous les deux depuis votre dernière séparation ? je m'étonne.

– Évidemment ! lance Lou en haussant les épaules. Seulement, Monsieur ne supporte plus que je lui parle des profs de glisse de la colo ! Alors que je m'en fiche royalement moi, des profs de…

Ken passe juste à ce moment-là. Ce matin, il s'est fait un magnifique chignon bun et Lou s'élance à sa poursuite en criant :

– À plus, Laure !

C'est évident, elle se fiche royalement des profs de la colo…

Victoire m'entraîne déjà vers la plage en sautillant entre les flaques.

– Ton Apparition appartient peut-être à la team 13-15 ?

Je secoue la tête de toutes mes forces pour montrer que je ne le pense pas une seule seconde. Hier soir, j'ai confié à ma coloc que j'avais très envie de le revoir…

– Il a l'air d'avoir mon âge et il n'est dans aucun groupe. J'ai scruté tous les garçons du centre !

– Ouh là, comme dirait Tom. Alors c'est un fantôme. Il hante tes jours et bientôt, il hantera tes nuits. Brrr ! J'ai presque envie de changer de chambre, moi !

Victoire éclate de rire et ça me fait tout drôle. Je crois que c'est la première fois que je la vois aussi joyeuse ! Elle se met d'ailleurs à fredonner la chanson du karaoké et je lui demande :

– Tu sais que tu chantes super bien. Tu as déjà pensé à t'inscrire à un concours ?

– Écoute… Je ne préfère pas…

– Regarde !

Au loin, une drôle de forme s'agite sur le sable. Victoire fronce les sourcils.

– C'est bizarre, ça ne ressemble pas à un humain, commente-t-elle.

– C'est plutôt gros, non ?

On s'avance vers la forme prudemment. Quand on est suffisamment près pour en distinguer les contours, on s'arrête en même temps.

– C'est… C'est un animal, chuchote Victoire en me prenant la main.

– On dirait… Un phoque ?

C'est le moment qu'il choisit pour bouger à nouveau. Ma coloc et moi, on pousse un cri.

– Un énorme phoque, précise Victoire.

– Waouh ! Tu savais qu'il y en avait sur cette côte ? je demande en m'approchant un peu plus près.

– Arrête-toi là, tu es folle ! souffle Victoire qui me retient par le bras. Tu as vu sa taille ? Il mesure au moins dix mètres de long…

L'animal relève la tête puis s'affaisse à nouveau.

– Tu penses qu'il va se jeter sur nous pour nous attirer vers les profondeurs ? je réplique. Regarde-le, Vic ! Ce phoque est mal en point !

J'essaie de m'approcher un peu plus mais Victoire me retient fermement.

– Soyons prudentes, insiste-t-elle en évaluant la distance qui nous sépare de la bête. Il suffit d'attendre que la marée remonte et notre ami le phoque va pouvoir nager à nouveau. Il a dû faire une erreur de navigation.

– Moi je crois qu'il a besoin d'aide…

Comme si la bête m'avait entendue, elle relève la tête et elle nous fixe d'un regard d'une extrême douceur. Même Victoire est émue cette fois-ci.

– Bon admettons, lance-t-elle complètement stressée. Et… Qu'est-ce qu'on peut faire ?

– L'une d'entre nous doit aller chercher des secours !

– Et l'autre ? grimace Victoire. Elle fera quoi ? Elle parlera à la bête pour lui dire de ne pas s'inquiéter ? Je te signale que je ne parle pas le phoque !

– Vic, tu vas chercher des secours et moi je reste ici, d'accord ?

– Et si jamais cette bête sauvage t'attaquait ? lâche-t-elle d'un ton angoissé. Promets-moi que tu ne t'approcheras pas d'elle pendant mon absence !

Je promets de tout mon cœur et Victoire part vers le centre au pas de course.

La pluie a cessé et la « bête sauvage » ne manifeste plus beaucoup d'énergie.

– Il faut que tu tiennes encore un peu le coup, je lui lance d'une voix douce en m'approchant. Ma copine est partie chercher des secours. Tu comprends, mon gros ?

Je ne sais pas combien de temps je reste à rassurer mon nouvel ami mais la pluie qui avait cessé se remet à tomber.

Heureusement, au moment où je commence à me changer en mollusque, je distingue au loin quelques personnes qui courent le long de la plage. Victoire ramène des renforts !

Anne, la directrice de la colo, arrive en tête, suivie par toutes les teams et leurs moniteurs ou presque. Lou et Lisa viennent immédiatement se placer à mes côtés, comme si notre lien de parenté allait impressionner le « monstre des mers ».

– J'ai appelé le Centre de Recherche des Mammifères Marins. C'est là-bas que sont accueillis les animaux échoués sur nos plages, nous explique Anne.

On se regarde, Victoire et moi, très fières.

Si la directrice nous donne ces infos, c'est sûrement parce qu'elle nous considère comme de vraies sauveteuses.

– C'est un veau marin, braille Lisa tout excitée. Regardez, c'est écrit là !

Ma sœur a eu le temps de chercher sur le portable de Lou « les espèces marines échouées sur les plages de Vendée ».

Triomphante, elle nous montre l'image d'un veau marin qui ressemble vraiment à notre créature.

– On n'a qu'à l'appeler Albert ! suggère Lisa. Albert, le veau marin de Saint-Gilles-sur-Mer, ça sonne bien, non ?

C'est un peu la pagaille sur la plage, tout le monde veut voir notre protégé de près. Avec l'aide de la directrice, de mes sœurs et de Ken qui bombe encore plus le torse que d'habitude, on maintient un « périmètre de sécurité » autour de lui afin de l'isoler de la cohue et du bruit. Quand Prisca, la spécialiste des animaux marins, nous rejoint enfin, elle nous félicite pour la discipline qu'on a observée.

– Ce veau n'est pas blessé, nous explique-t-elle. Il semble juste épuisé. Nous allons le prendre en charge au Centre pour qu'il se repose une ou deux nuits avant de le relâcher en pleine mer.

Des badauds nous rejoignent, preuve que la nouvelle a dû faire le tour de Saint-Gilles-sur-Mer ! On reste sur la plage pour regarder les hommes qui transportent notre veau marin préféré dans une grande caisse transparente vers le camion du Centre Marin.

– Quelle matinée ! Je me sens super émue, moi ! déclare Victoire en s'essuyant les yeux. Je t'avais dit que la plage sous la pluie ça a du charme !

– Arrête de pleurer ! je lui lance en la prenant par l'épaule. Tu ne trouves pas qu'on est assez mouill…

Je ne finis pas ma phrase. Pour la troisième fois, je subis un choc terrible puisque, dans le groupe de badauds qui nous fait face, je croise à nouveau un regard que je n'ai pas oublié.

– Vic, Vic ! Il est là… je chuchote en secouant ma copine.

– Qui ? s'exclame-t-elle surprise. Albert ? Il est déjà revenu ?

– Nooooon, mon Apparition. Il est làààààà.

Victoire relève la tête et regarde partout. Je lui désigne le garçon qui fait des photos avec son portable.

Il prend quelques derniers clichés puis il s'éloigne à grands pas et disparaît petit à petit.

On regagne le centre lentement, ma coloc et moi. Albert et l'Apparition font partie de notre conversation bien sûr !

Dans l'après-midi, le soleil finit par réapparaître. Notre team a un nouveau cours de planche à voile.

Une fois de plus, j'arrive à bien tenir l'équilibre et à tourner ma voile quand il faut. Victoire fait un essai de plus de dix minutes, ce qui est un record !

– Albert m'a donné des ailes, murmure-t-elle en revenant sur le sable. C'est le pouvoir magique des veaux de mer.

J'éclate de rire en tapant dans sa main.

J'ai une coloc de choc, c'est sûr !

Au revoir Albert

J'ai fait un drôle de rêve cette nuit dans lequel je nageais sur le dos d'Albert comme s'il s'agissait d'un cheval des mers.

Sur la plage, mon Apparition m'adressait des signes de la main.

Pour la première fois depuis notre arrivée, Victoire et moi descendons ensemble prendre le petit-déjeuner.

– Cet après-midi, nous visiterons le Centre de Recherche des Mammifères Marins, nous annonce Tom que l'on croise dans le réfectoire.

– Géniaaaal ! s'écrie ma coloc. On va revoir Albert !

Elle me tape dans la main joyeusement. À la table voisine, le quatuor nous adresse de petits signes, comme s'il nous découvrait.

Adriana se déplace pour affirmer :

– C'est super d'avoir sauvé cet animal !

Je souris bêtement.

– En même temps, murmure Victoire, on ne lui a pas fait du bouche-à-bouche. Il faudrait que les choses soient claires !

On se met à rire comme deux folles en imaginant la scène.

Dans la matinée, on retrouve Alexis et ses dériveurs. Cette fois-ci, on fait deux parcours successifs et Victoire, qui est montée dans le bateau du moniteur, nous encourage de la voix !

Elle promet d'ailleurs que lors du prochain cours, elle grimpera à son tour sur un dériveur…

En arrivant au Centre Marin en début d'après-midi, notre team est accueillie par Prisca.

– Votre protégé est en pleine forme, nous annonce-t-elle. Je vous emmène voir le bassin où on l'a placé hier.

On la suit pendant qu'elle nous présente les animaux que l'on croise : deux dauphins, trois phoques gris, deux marsouins (qui ressemblent vraiment à des dauphins en bien plus petits) et plusieurs aquariums remplis de poissons de toutes sortes.

– Notre centre a pour mission d'étudier différents animaux marins ainsi que leur écosystème. Nous recueillons aussi des animaux blessés et échoués sur le littoral. Malheureusement, il y en a un grand nombre chaque année.

Albert se prélasse dans un immense bassin. Je ne sais pas s'il nous reconnaît mais il passe tout près de la vitre et nous fixe de son regard si doux. On l'observe tous pendant un moment et Amandine demande :

– Pourquoi les animaux, comme ce veau marin par exemple, s'échouent-ils sur le sable ?

– Il y a plusieurs raisons possibles, explique Prisca. Certains cétacés se blessent avec des engins de pêche ou sont percutés par des navires. D'autres sont privés d'une partie de leur nourriture du fait de la surpêche des hommes. Ils s'approchent des côtes pour trouver de quoi manger et s'y échouent.

– On dit que les sacs plastique sont dangereux pour les dauphins, c'est vrai ? l'interroge Judith à son tour.

– Oui, malheureusement, ils peuvent s'étouffer avec ou les ingérer... Nos océans sont de plus en plus pollués, vous devez le savoir, continue Prisca. Les nappes de pétrole, les eaux usées, les déchets qui y sont déversés, les dégradent chaque jour un peu plus. Vous savez aussi que tout ce que vous jetez dans le sable se retrouve un jour à la mer. Les sacs plastique en font partie... On retrouve bien d'autres déchets sur la plage ! Certains d'entre nous sont incapables de laisser une plage propre.

On se regarde les uns les autres, gênés.

– Mais vous n'êtes pas des pollueurs ! renchérit Prisca en souriant. Et cet animal a été sauvé grâce à votre vigilance. À ce titre, vous allez assister à sa remise à l'eau !

Un hourra collectif retentit.

Albert est extirpé en douceur de son bassin à l'aide de grosses sangles, puis transporté à nouveau dans une caisse vers la plage proche du centre. Sa remise à l'eau se fait lentement. Il nage vers le large puis revient. Il répète ce circuit comme s'il hésitait à reprendre sa route.

– Il a du mal à nous quitter, chuchote Victoire, anxieuse.

Finalement, Albert retrouve ses repères. Après une dernière rotation, il disparaît au large. On applaudit à grand bruit. Victoire et moi, nous nous regardons en souriant, fières de l'avoir aidé.

Le retour dans le bus est très bruyant. On a tous envie de discuter de ce qu'on a appris.

– Grâce à notre visite, on voit la mer autrement, lance Nicolas. Ce n'est pas seulement NOTRE espace de glisse !

– C'est surtout un lieu de vie, complète Victoire. Je n'ai jamais supporté les gens qui envahissent les plages et en font des dépotoirs !

– Comme ces gens qui pique-niquaient l'autre jour au bord de l'eau et qui ont laissé des déchets derrière eux ! témoigne Nathan.

– Et si on lançait une opération Plage Propre ?

Toute la team me regarde parce que je me suis levée et que j'ai crié. Victoire vient à ma rescousse et se lève à son tour.

– C'EST GÉNIAL ! hurle-t-elle encore plus fort que moi. DONNONS L'EXEMPLE !

Tom nous ordonne de nous rasseoir mais il renchérit sur notre idée :

– Chiche ! On consacre une journée à un grand nettoyage de plage autour du centre ? Qui est ok ?

Toutes les mains se lèvent.

En sortant du bus, Tom nous demande si nous avons des idées pour mener à bien notre journée Plage Propre.

– On loue une mini-pelle et on ramasse les déchets qui traînent, propose Nicolas. C'est cool de conduire ce genre d'appareil !

Tom lui explique qu'un engin de chantier même mini est exclu dans la colo mais Nathan a une autre idée.

– On fait un trou géant et on enterre les déchets qu'on a ramassés.

– C'est débile ! lâche Victoire d'un air sévère. Enterrer, c'est juste cacher…

– Il faudrait donner envie aux vacanciers d'être clean eux aussi en leur montrant l'exemple. On ramasse les déchets et on les trie, suggère Adriana.

– Tu es gentille mais tu as vu l'étendue de la plage ? proteste Amandine.

– Et si on essayait de convaincre le reste de la colo ? je propose. Si TOUTES les teams jouent le jeu, on y arrivera !

– Voilà la solution ! continue Victoire. On doit décider la colo de participer à notre opération !

Ma coloc sautille sur place, enthousiaste. Tom nous indique le planning de chaque team et, en duo, on part vendre notre idée Plage Propre.

Bien sûr, je suis avec Victoire et j'ai choisi la team de mes sœurs ! On commence par celle de Lisa qui, comme d'habitude, est entourée par une vraie bande de copains. Maman avait raison, qu'est-ce qu'elle est timide en colo ma petite sœur ! J'en profite pour lui faire un rappel...

– Tu as pensé à écrire à Luna ? Tu lui as promis une lettre par semaine !

– Oups ! me lance-t-elle. Je n'ai pas eu le temps. Je suis overbookée, moi !

– Lou, sors de ce corps ! je lâche à Lisa qui prend de plus en plus des mines d'ado. En attendant, écoute-moi !

On lui explique notre opération Plage Propre. Comme je m'y attendais, elle est enthousiaste. Elle est déjà prête à partir en courant expliquer à ses copains notre « idée géniale ».

– C'est super important de diffuser l'info ! insiste Victoire.

– Et n'oublie pas. Si tu veux participer à cette opération, écris à Luna ! je lui ordonne avant de m'éloigner.

On retrouve Lou au moment de sa pause. Elle est au téléphone et, dès qu'elle me voit, elle me le tend.

– Papa, maman, nouvelles... chuchote-t-elle.

Les Steph au carré trouvent que leurs quatre L les « délaissent complètement ».

– Lisa a dû nous dire trois phrases hier, se plaint maman, Lou n'a jamais le temps. Luna est toujours en balade avec tatie Caro et Jérémy. Et toi ma Laure ?

– Je suis hyper occupée moi aussi, je déclare à toute vitesse. J'ai un projet supra important à gérer. À part ça, je me tartine de crème solaire même quand il pleut, je suis prudente en mer et sur terre, je parle à Lisa mais pas que, je mets mon gros pull bleu et... c'est méga cool ici. Fais de GROS bisous à papa.

En ajoutant des tonnes de smacks bien sonores, je tends l'appareil à Lou qui se dépêche de raccrocher. Ensuite, il me reste trois secondes pour lui décrire notre projet qu'elle trouve génial.

– J'en parle à ma team, on sera des vôtres, affirme-t-elle avant de s'éloigner.

Quand on rejoint le reste du groupe en début de soirée, l'info est passée.

Pendant le dîner, la directrice vient faire une annonce officielle.

– Des jeunes de la team 10-12 ont permis à un veau de mer qui s'était échoué sur la plage de repartir au large. Suite à cette expérience, ils ont proposé de lancer une chasse aux déchets qui a séduit l'ensemble de la colo. Donc, dès demain, nous démarrons l'opération Plage Propre !

Un HOURRA assourdissant retentit dans le réfectoire. Ma team se lève en poussant des cris des joie et ma coloc se dresse sur son banc, les bras en l'air.

Je ne la reconnais plus.

Une nouvelle Victoire est née…

Une idée d'enfer

– Laure, est-ce qu'on jette les déchets dans ce sac ou dans celui-là ?

– Laure, je mets ça avec le non recyclable ?

– Laure, une team a récupéré les bouts de bois flotté pour en faire des objets, où les as-tu rangés ?

– Laure, Lisa m'a demandé de te dire qu'elle avait écrit sa lettre.

– Laure, il y a un journaliste qui veut parler aux responsables de Plage Propre, je te l'envoie ?

Je ne sais plus où j'habite. Depuis ce matin, c'est un défilé sans fin !

Lorsque les teams ont débarqué sur la plage, Tom a voulu diriger les opérations.

– Un peu de silence ! a-t-il crié avec un porte-voix parce que tout le monde parlait en même temps. Qui dit « nettoyage » dit « discipline » !

– Discipline ! avons-nous hurlé en chœur.

– Ouh là, on se calme ! a dit Tom.

– Oula ! a répondu « l'écho ».

Finalement, comme c'était la pagaille, les animateurs n'ont pas attendu les consignes de Tom et ils ont entraîné leurs équipes vers la plage avec des rouleaux de sacs-poubelle. Tom nous a nommées chefs du tri, Victoire et moi.

– Les teams ont comme consigne de ramasser les déchets et de vous les apporter. Toi Laure, tu t'occupes de trier tout ce qui est recyclable, a-t-il déclaré. Et toi, Victoire, tu gères le non recyclable, ok?

Ma copine et moi, on s'est installées sous un immense parasol et on a commencé à recueillir et à trier... C'est incroyable TOUT ce qu'on peut trouver sur une grande plage comme celle de Saint-Gilles-sur-Mer!

Dans la team de Lisa, une cage à oiseaux a été découverte dès le premier quart d'heure!

J'ai d'ailleurs réussi à coincer ma petite sœur entre deux sacs-poubelle.

– Alors, ta lettre? Où est-elle?

– La voilà! m'a-t-elle répondu, triomphante, en me tendant un bout de papier plié en douze. Ciao!

Lisa s'est enfuie en courant. J'ai jeté un coup d'œil sur ce qu'elle avait écrit et j'ai tout de suite eu envie de recycler ma petite sœur!

Coucou Luna, c'est moi Lisa ta sœur. Ça va? Moi ça va. Il fait beau quand il ne pleut pas. On a trouvé un veau de mer. Je crois que Lou est amoureuse d'un moniteur qui s'appelle Ken, comme Barbie!

Bisouououous.

Je me suis promis que j'allais l'obliger à écrire une vraie lettre à Luna mais je n'en ai pas eu le temps.

Après la cage, on a reçu des sacs plastique en pagaille, plein de mégots, des emballages de gâteaux, des lignes de pêche entremêlées, six chaussures différentes, deux serviettes de plage, des briquets, une assiette, des verres et des couverts jetables, des bouts de bois flotté, des bouteilles, deux livres, des magazines en sale état et… une télécommande de télévision!

Notre opération ne laisse personne indifférent puisque certains vacanciers nous donnent un coup de main.

– C'est bien toi Laure ?

Une voix me fait sursauter alors que je suis en train de ranger ma septième tong dans le sac prévu pour. Je me retourne.

– Bonjour, je m'appelle Jules Gauthier. Je suis journaliste et je travaille pour le quotidien de la région. Je voudrais que tu me parles un peu de cette excellente idée « Plage Propre ».

Je deviens plus rouge que la chaussure que je tiens à la main. J'appelle Victoire et on raconte l'origine de notre idée. Alors que je suis en train d'évoquer la visite au Centre Marin, mon cœur manque soudain de s'arrêter et je deviens muette.

– Vous avez parlé à Prisca la responsable du Centre et ensuite ? m'interroge le journaliste pour me relancer.

– ...

– Ensuite ? insiste-t-il comme je reste silencieuse.

– Il est là, juste en face, je murmure bêtement.

Je pince le bras de Victoire pour qu'elle regarde dans la bonne direction.

– L'APPARITION ? m'interroge-t-elle.

C'est bien de LUI qu'il s'agit, il se dirige vers moi avec un sac-poubelle à la main. Il est encore plus beau au soleil.

Ken passe à ce moment-là dans l'autre sens et il lui adresse un signe rapide de la main. Je suis toujours en mode statue quand il dépose son sac sous notre parasol.

– C'est bien ici que les déchets sont triés ? demande-t-il.

– Yes man ! répond Victoire super à l'aise. What's your na...

Mais l'Apparition repart aussi vite qu'il est arrivé.

– C'est trop bête, j'allais apprendre son prénom, me chuchote ma coloc.

– Pourquoi tu lui as parlé anglais ?

– Ben… Votre histoire doit garder une dose de mystère, lâche Victoire.

– Laure ? Victoire ? On peut continuer ? questionne le journaliste.

On reprend l'interview mais j'avoue que je bâcle carrément les dernières réponses. Je n'ai plus qu'une idée en tête, retrouver mon Apparition.

Victoire ne fait pas mieux.

Elle n'a qu'une idée en tête : se lancer dans une grande enquête pour retrouver mon Apparition.

– Ken a l'air de le connaître puisqu'ils se sont adressé un signe mais je n'oserai jamais l'interroger, je déclare en triant mon dernier sac.

– On réussira forcément à retrouver ton mystérieux vacancier ! me rassure Victoire. Ça ne doit pas être bien compliqué dans un village comme Saint-Gilles-sur-Mer. Si on se procurait un peu de son ADN pour l'identifier ? On pourrait ramasser un caillou qui a été piétiné par sa plante de pied si beeeelle...

Victoire me regarde très sérieusement. Je lui lance une de mes tongs moisies qu'elle évite en riant.

L'après-midi s'achève et on achemine les déchets recyclables vers des containers préparés par les moniteurs. Les sacs-poubelle sont évacués par un camion envoyé par la ville.

– Je déclare la clôture de l'opération Plage Propre, lance Tom. Bravo à tous !

– Ouh là, on peut dire qu'on a été efficaces ! constate Nathan en riant.

– On peut le dire en effet ! conclut notre moniteur. Bilan de l'opération : une plage nettoyée sur environ trois kilomètres carrés, ce qui n'est pas mal du tout. Ce soir, petite fête improvisée, histoire de se détendre un peu !

On approuve en criant tous ensemble et Victoire me surprend une fois de plus puisqu'elle effectue une danse de la joie qui nous fait rire aux éclats.

La fête est une totale réussite. Tom nous propose une soirée « talents perso ». Lyès et Kyllian, les deux timides du groupe, se révèlent de super danseurs et ils improvisent un spectacle de hip-hop sur le sable. Pauline nous montre quelques tours de magie et sa copine Judith fait une démonstration de gym acrobatique impressionnante.

Pour finir, Tom prend sa guitare et se tourne vers Victoire. Quand sa voix s'élève dans la nuit, des frissons me parcourent. Ma coloc a une voix magnifique.

– Tu sais que tu chantes incroyablement bien ? je glisse à son oreille alors qu'on l'applaudit.

– Il faudra que je t'avoue quelque chose, me répond-elle d'un air mystérieux.

Et sans se soucier de mon étonnement, Victoire se tourne vers Nicolas, son voisin de gauche.

Je lui prends la main discrètement et je la serre fort. J'ai envie de lui montrer que je suis juste très contente de l'avoir rencontrée.

La soirée s'achève trop vite. En rentrant au centre avec ma coloc, j'aperçois deux silhouettes enlacées qui marchent sur la plage. Mon cœur bondit dans ma poitrine puisque l'une d'entre elles est encapuchonnée comme l'Apparition.

Les deux silhouettes se rapprochent et très vite, je reconnais les épaules super musclées de Ken.

La surprise, c'est... la personne qu'il tient dans ses bras !

D'un geste, je tire Victoire dans l'ombre.

– Ben ça alors ! Il est avec ma sœur ! je murmure.

– C'est normal, chuchote Victoire gravement. Elle n'a pas pu résister à ses muscles et à ses cheveux décolorés par le sel.

Le couple passe sans nous voir et c'est tant mieux. Je préfère que Lou ne sache pas que je l'espionne.

– N'empêche, me souffle Victoire alors qu'on sort de notre cachette, c'est un bon plan que ta sœur sorte avec Ken. Ce sera plus facile de le questionner sur l'Apparition puisque c'est ton futur beau-frère.

Je me mets à rire tandis que Victoire m'entraîne vers notre chambre.

Les bandes de copains, c'est bien. Mais finalement, les vraies amies, c'est essentiel !

Une lettre, un article et un film !

Je passe plus de quinze minutes à trouver Lisa ce matin, après le petit-déjeuner. Quand je la déniche enfin, je ne la lâche plus.

– Tu viens avec moi écrire une lettre à Luna ! je lui ordonne.

– Mais… je t'en ai déjà donné une, se défend-elle.

– Tu avais promis deux lettres pendant notre séjour. Pour l'instant il y a juste trois lignes sur un bout de papier !

Lisa soupire en me suivant jusqu'à ma chambre. Là, sur le lit, elle se lance dans la rédaction d'une VRAIE lettre.

Ma Luna adorée que j'aime ♥♥♥,

Je t'écris en retard parce que j'étais super occupée à cause de ma bande d'amis pour la vie. Je les ai rencontrés dans le train et je vais verser des milliers de larmes quand je vais les quitter, un peu comme toi quand tu as perdu ton Petit Poney vert l'été dernier.

J'ai aussi un amoureux qui n'arrête pas de me suivre et qui est un peu trop collant. Lou dit que c'est normal pour un amoureux.

Sinon, les activités glisse sont difficiles et le catamaran, c'est plus cata que marrant. Je préfère les soirées jeux et les moments sur la plage. Tu sais que Laure a trouvé un veau de mer ? (Elle te fait un dessin pour te montrer à quoi ça ressemble.) On l'a appelé Albert. Mais bon, il est reparti en mer maintenant. Il me manque trop mais pas autant que toi quand même.

Il ne me tarde pas de rentrer mais je serai trop contente de te revoir ma Luna préférée.

Mille et même dix mille et même dix millions de bisous de LISA.

Pendant que Lisa écrit ses impressions sur la colo, j'ai le temps de raconter quelques anecdotes rigolotes à Luna. J'ajoute les dessins que je lui avais préparés. Après avoir fini sa lettre, Lisa part vite retrouver « ses amis pour la vie qui lui manquent trop ! ».

Je rejoins ma team rassemblée sur la plage. On attend l'arrivée de Ken pour une nouvelle séance de planche à voile. Ce matin, le vent s'est levé et la mer est super agitée. Il arrive en courant.

J'ai l'impression que ses muscles gonflent de jour en jour !

– Qui dit vent fort dit super glisse et qui dit super glisse dit ?

– Appendice ? propose Nicolas. Saucisse ?

– Alors, qui dit super glisse dit ? insiste Ken sans sourire.

– Super dangereux ? propose Victoire d'une petite voix.

– Bingo ! rugit Ken en tapant très fort dans sa main. Donc, vous allez regarder le prof. Et si vous êtes sages, peut-être que…

On râle parce qu'on a très envie de défier les vagues. Victoire, elle, masse sa main endolorie et me chuchote :

– Il a failli me casser le poignet. C'est un boxeur en vrai, il nous ment depuis le début.

Je pouffe discrètement pendant que Ken fait une magnifique démonstration sur l'eau.

Quand il ressort de l'Océan avec ses cheveux qui flottent dans le vent et son torse incroyablement musclé moulé dans sa combinaison, les deux monitrices qui accompagnent la team de 13-15 en oublient leur groupe et le regardent, bouche bée.

Il agite sa chevelure, un peu comme Lou après la douche, puis il nous invite à essayer l'un après l'autre.

Je suis un peu moins « the queen of the planche » ce matin. Le vent semble vouloir jouer avec moi et j'ai du mal à contrôler la voile. Mais je ne me décourage pas et, malgré plusieurs chutes, je vais jusqu'au bout du cours, contrairement à Victoire qui veut arrêter au bout de cinq minutes à peine !

Je décide de coacher un peu ma coloc et je lui donne des conseils « perso » pour l'aider à rester sur sa planche.

Ken me félicite pour mes encouragements et je m'apprête à l'interroger sur l'Apparition quand Tom sonne le « rappel des troupes ».

– La directrice a un communiqué de la plus haute importance à nous faire ! nous annonce-t-il. Rendez-vous d'urgence dans notre salle !

Après s'être changés, on rejoint notre moniteur. Anne est à ses côtés, et elle a un air réjoui.

– Les voilà enfin ! lance-t-elle en nous désignant, Victoire et moi. Nos deux vedettes du jour.

Ma coloc devient cramoisie et je ne suis pas loin de lui ressembler. La directrice déplie devant nous le quotidien régional qui consacre une double page à notre initiative.

UNE OPÉRATION PLAGE PROPRE À L'INITIATIVE DE DEUX ADOS EN VACANCES !

Victoire et moi, on parcourt rapidement l'article qui raconte notre « idée géniale » et « l'émulation qu'elle a suscitée dans la colo et parmi les vacanciers ». Le journaliste souligne que la maire, convaincue par cette initiative, a décidé de lancer une campagne de sensibilisation auprès des habitants de sa commune.

– Madame Brillant, la maire de Saint-Gilles, m'a téléphoné ce matin, nous explique Anne. Elle a vraiment apprécié notre opération et est prête à nous aider si nous souhaitons la prolonger ! Vous avez des idées ?

– On pourrait désigner une équipe de veilleurs qui circulerait sur la plage pour expliquer aux gens qu'il est important de garder leur lieu de vacances propre, propose Victoire les yeux brillants d'excitation.

– Et on pourrait réaliser un petit film pour le site de la commune ! je lance tout aussi excitée.

– Oui ! renchérit Adriana. Avec un film et des volontaires motivés, plus de déchets !

Anne applaudit puis elle propose :

– Le matériel vidéo du centre est à votre disposition. Si vous acceptez d'être les réalisateurs-interprètes de votre film, je le proposerai à madame la maire.

Enthousiasmés, on lève tous le pouce en même temps. Après le déjeuner, notre équipe de choc est prête pour le tournage et on part sur la plage. Tom s'occupe de la caméra.

Chacun a mis au point un scénario de quelques minutes. Lyès, Kyllian et Pauline jouent le rôle des veilleurs. Un sac-poubelle à la main, ils arpentent la plage en montrant « le bon geste éco-citoyen ».

– Nous, on a choisi d'interviewer des vacanciers volontaires, annonce Nathan.

– Ils expliqueront à quel point c'est important de laisser la plage impeccable après son départ. Et s'ils refusent, on les jette dans les poubelles !

Évidemment, Nicolas ne peut pas s'empêcher d'amuser la galerie…

– Nous, on a décidé de faire intervenir Oum, la mascotte de la team des 5-7, lance Adriana en exhibant un gros dauphin en peluche tout bleu. On va l'enfermer dans un sac plastique.

– Pour montrer à quel point il peut souffrir de la pollution, ajoute Amandine.

– On a inventé un petit refrain d'ailleurs, conclut Adriana. « Sac plastique, tu n'es pas aquatique ! Reste dans les boutiques et oublie l'Atlantique ! »

– Et si on ajoutait « Sac plastique, je n'aime pas ton physique, tu pues comme un antibiotique » ? propose un Nathan enthousiaste.

– Ouh là ! lance Tom. Trop de rimes tue la rime. Vieux proverbe chinois... On reste sur l'idée des filles et le refrain tout simple.

Victoire et moi, on a décidé de raconter notre découverte du veau marin et l'importance de respecter nos océans pour que les animaux vivent en toute tranquillité.

C'est la première fois qu'on parle devant une caméra. Je me sens assez mal à l'aise. Victoire, une fois de plus, est carrément incroyable !

– Nos océans sont des trésors. Il ne tient qu'à nous de préserver leurs richesses, affirme-t-elle avec naturel. Ne laissons plus des animaux s'échouer sur nos plages. Nous sommes TOUS responsables et chaque geste éco-citoyen est une marche de plus dans cet escalier qui nous mène vers un monde plus propre.

Après son passage, « sans prompteur » comme précise Tom en l'applaudissant, c'est super difficile d'être aussi naturelle. Alors je me contente de décrire l'émotion que j'ai ressentie face à Albert, notre veau de mer échoué parce qu'il était sans doute épuisé de lutter pour se nourrir dans son univers menacé. Je bégaie à deux ou trois reprises mais, dans l'ensemble, je suis plutôt satisfaite du résultat.

On passe l'après-midi sur notre projet et, vers 18 heures, Tom, en nous raccompagnant au centre, précise :

– Je m'occupe du montage. On a de quoi faire un beau clip !

On se sent super fiers du travail accompli. On se retrouve dans la salle de la team pour savourer un peu de repos. Victoire et Nicolas s'installent l'un à côté de l'autre et ma coloc rit aux éclats en l'écoutant faire son show.

Une love story serait-elle en train de naître sous mes yeux ?

Je soupire en pensant à mon Apparition. Il ne me reste que quelques jours pour faire sa connaissance…

Un photographe mystérieux

Le soleil a disparu ce matin et les lumières sont allumées dans le réfectoire. Je me suis réveillée un peu tôt et je n'ai pas réussi à me rendormir.

Je marche sans bruit dans les couloirs, tel un fantôme…

À la recherche d'une Apparition.

Je pensais avoir une chance de l'apercevoir dans le réfectoire comme la première fois, mais il était désert. Je jette un œil dehors.

La plage a un air de fin de vacances. Le ciel est si bas qu'il donne une teinte grise à la mer. Il n'y a pas un seul bateau à l'horizon.

J'ai un vrai coup de cafard. J'ai vécu tellement de choses formidables à Saint-Gilles-sur-Mer que j'ai l'impression que tout est déjà terminé...

Je regagne le réfectoire. Tom est là avec une partie de la team qui m'accueille avec de grands cris.

– Assieds-toi ici Laure, me propose Nathan en désignant le siège à côté de lui.

– Il y a aussi de la place à côté de moi ! lance Adriana.

Moi qui rêvais d'appartenir à une bande, je suis servie ! Victoire nous rejoint à son tour, avec son gros pull, son imper et ses bottes de pluie favorites aux pieds.

– Il va encore pleuvoir ! s'exclame-t-elle toute guillerette. Pas de voile ou de surf aujourd'huiiiii !

– Qu'est-ce que tu fais dans une colo glisse si tu détestes ça ? l'interroge Kyllian étonné.

– Je suis là juste pour Laure, affirme Victoire très sérieusement. Elle et moi, on était faites pour se rencontrer !

Devant une telle déclaration d'amitié, je me sens fondre et je lui serre la main. Un peu plus tard, on s'assoit dehors, elle et moi, pour contempler la mer.

– Ce matin, je suis allée au réfectoire. J'espérais y voir l'Apparition, je lui avoue. Mais il n'était pas là. Je crois qu'il ne reviendra plus.

– J'ai réfléchi à ton problème, me répond Victoire. Et j'ai eu LA révélation. Donc…

Ma coloc prend un air super mystérieux avant de me glisser :

– Ton apparition vit à Saint-Gilles, MAIS pas dans la colo. POURTANT tu l'as vu un matin au réfectoire. Conclusion : il est le fils de.

– Le fils de qui ? je répète bêtement.

– De quelqu'un qui travaille ici ! Le fils de la directrice ou le fils du cuisinier.

– Bonne hypothèse. Mais ce n'est pas la peine de te lancer dans une enquête approfondie, j'abandonne. Il reste trois jours de colo, je ne vais pas les passer à courir après un fantôme ! Je veux PROFITER à fond ! Glisse glisse glisse !

Les premières gouttes tombent juste à ce moment-là. Victoire pousse des cris de joie.

– Plic ploc font les gouttes, chantonne-t-elle. Et tic toc les bateaux à l'abriiiii ! L'Apparition a disparu sans bruiiit !

Soudain des hurlements de joie retentissent dans la salle de réunion de notre team.

– Géniaaaal !

– Ouh là, on se calme ! lâche notre animateur préféré.

Victoire et moi, on se précipite à l'intérieur pour en savoir plus et Adriana nous explique ce que vient d'annoncer Tom.

– Soirée « dance » jusqu'au bout de la nuit demain soir ! crie-t-elle enthousiaste.

– Ouh là, je n'ai JAMAIS dit « jusqu'au bout de la nuit », précise Tom en riant. Il y a une extinction des feux obligatoire !

On se met à parler en même temps. Victoire louche en direction de Nicolas de façon très peu discrète.

– Avoue, je lui chuchote. Tu aimes les comiques ?

– Et toi, tu aimes les garçons mystérieux ? me répond-elle en souriant.

On passe une partie de la matinée à aménager notre salle pour la soirée du lendemain.

Tom nous a laissés libres pour la déco et comme j'adore dessiner, je décide de réaliser une grande fresque qui recouvrira le mur gris de notre salle. Alors que je pars avec Victoire à la recherche de peinture, j'entends Lisa m'appeler. Elle nous fait signe de la rejoindre sous le hangar à bateaux.

Elle est en compagnie de Lou qui semble bien énervée...

– C'est ma pause et je dois encore la passer à régler des problèmes ! lâche-t-elle. Luna veut ABSOLUMENT nous téléphoner. Tatie Caro vient de m'envoyer un texto.

Lou compose le numéro du portable de notre tante et met le haut-parleur.

– Je veux que vous rameniez Albert à la maison, nous explique Luna d'un ton sans appel. Il est trop beau...

– Qui a eu l'idée STUPIDE de parler de ce veau de mer à Luna ? chuchote une Lou exaspérée.

– Mais enfin! lui répond Lisa qui s'est saisie du téléphone, c'était un gros machin de deux mètres, tu voudrais le mettre où ? Dans la baignoire ?

– Ouiiii ! clame Luna enthousiaste. Et il deviendra copain avec John !

Pendant que je précise à Victoire que John n'est pas le frère des quatre L mais un hamster acheté à la suite d'un voyage à New York, Lou tente en vain de raisonner notre petite sœur…

Elle finit par me tendre le téléphone en levant deux doigts de sa main. Ce qui signifie qu'il me reste deux minutes pour expliquer à Luna qu'Albert n'atterrira jamais dans notre baignoire.

– Dis-lui qu'un veau de mer, ça sent le varech et que c'est visqueux comme une méduse, me souffle ma coloc.

J'obéis à ma « coach en idées » et je fais une description assez horrible d'Albert à ma petite sœur.

– Beurk ! lâche-t-elle. Heureusement que tu ne l'as pas gardé avec toi alors !

Lou raccroche enfin.

– Un problème en moins, soupire-t-elle. Il ne m'en reste plus qu'un.

Comme je hausse les sourcils, ma sœur précise :

– Le deuxième concerne une grosse crotte fumante qui porte le nom du copain de Barbie.

Sur ce, ma sœur nous plante sur place.

– Waouh ! Ça barde entre Ken et Lou, commente Lisa.

– Hum… Il m'a semblé l'apercevoir avec une autre monitrice ce matin sur la plage, lance Victoire. Mais je n'étais pas sûre de moi. C'est un serial lover ce gars !

Juste après le déjeuner, Tom nous convoque devant l'écran télé de la salle des 13-15. Comme il est relié à un ordi, on peut visionner le montage de notre clip écolo. Me voir sur grand écran ne me plaît pas du tout, même si je trouve notre film assez génial ! C'est Victoire qui semble la plus naturelle d'entre nous et son discours passe super bien ! Anne, la directrice, est enthousiaste.

– Vous avez fait un travail remarquable ! nous félicite-t-elle. Je suis certaine que madame la maire l'appréciera pleinement.

– À mon avis, le clip sera très vite mis en ligne pour les habitants de la commune, ajoute Tom. D'ailleurs, à ce propos, je suis allé faire un tour sur le site de Saint-Gilles et j'ai pu t'y voir, Laure !

Je sursaute, surprise.

– Oui, regarde, enchaîne-t-il en surfant sur son ordi. Dans la rubrique « actualités », il est question du sauvetage du veau de mer et comme par magie…

Une photo s'affiche en plein écran. Albert est en gros plan mais on me voit VRAIMENT ! Victoire, elle, est en arrière-plan. Évidemment, je rougis tandis que les copains de la team se mettent à plaisanter.

– Tu es une STAR ! crie Nicolas. Il y a ta photo dans le journal ET sur un site officiel.

– Je peux avoir un autographe, Laure, s'il te plaît ? se moque Kyllian.

Je regarde Victoire. Elle fait une drôle de tête.

– Tu es vexée parce qu'on ne te voit pas beaucoup ? je lui chuchote désolée.

– Oh Laure ! Si tu savais... me répond Victoire. Il faut vraiment que je te dise quelque chose. Mais pas maintenant.

Ma coloc me serre la main avec douceur, ce qui me rassure.

– C'est bizarre quand même que je sois en gros plan comme ça ! Je me demande qui a pris cette photo.

Cette fois-ci, Victoire retrouve son sourire.

– Souviens-toi, Laure. L'Apparition était là avec son portable. Et si c'était lui ?

Je rougis encore plus.

– J'envoie votre travail à madame Brillant dès demain, nous prévient Anne. Et je vous félicite !

Des cris retentissent à nouveau dans la pièce. Et lorsque Tom nous annonce un pique-nique nocturne sur la plage, c'est carrément une explosion de joie.

Dans l'après-midi, on retrouve nos planches à voile et cette fois-ci, Victoire reste avec nous pendant tout le cours ! Ken semble très satisfait de nos progrès et il évoque un petit challenge à venir, ce qui fait grimacer ma coloc…

Vers 21 heures, on est assis face à la mer devant le centre. Le soleil commence à descendre sur l'horizon et c'est super beau.

Lorsque Victoire, pressée par toute la team, se met à chanter, c'est juste magique.

Si on me demandait de dessiner le bonheur à ce moment-là, je sais à quoi il ressemblerait.

Let's dance

– Tu préfères ce jean ou ce jean?

– Euh... Ce sont les mêmes, non?

– Mais non! rétorque Victoire. Celui-là est bleu clair et l'autre bleu très clair! Achète-toi des yeux, Laure!

Je souris en regardant ma coloc s'agiter devant la glace. On dirait Lou quand elle a rendez-vous avec Maxime, les jours où ils ne sont pas en plein divorce.

– La soirée démarre dans moins d'une heure et je ne sais pas quoi mettre!

– Oui, c'est tragique ! je lui réponds d'un air grave. Nicolas préfère sûrement les jeans bleu très très clair.

Victoire me tire la langue. On a longuement discuté elle et moi aujourd'hui entre deux activités glisse. Ma coloc a fait de vrais progrès en planche ! Et même sur le dériveur, elle sait maintenant suivre le bateau d'Alexis sans trop stresser.

En fin d'après-midi, notre team a fini de décorer la salle pour la soirée « dance ». Ma coloc m'a aidée à achever ma fresque tout en cherchant à me persuader que je pouvais encore vivre une grande love story.

– On n'a qu'à poursuivre notre enquête pour retrouver ton Apparition. Il nous reste deux jours, Laure !

– Oui... Mais, à mon avis, dès demain, tu n'auras plus beaucoup de temps pour une enquête, lui ai-je expliqué.

Comme ma coloc avait l'air étonnée, j'ai ajouté d'une voix mystérieuse :

– Je vois dans ma boule de cristal qu'un garçon va prendre beaucoup de place dans ta vie. Je vois aussi un prénom qui commence par N…

Victoire m'a fait signe de me taire, elle est devenue plus rouge que la peinture que j'utilisais. Ensuite, à voix basse, elle m'a avoué que j'avais des dons de voyance et on a imaginé des stratagèmes pour rendre Nicolas amoureux.

Je l'ai bien observé pendant le dîner, et je pense qu'il l'est déjà ! Il va sûrement devenir le boy-friend de ma coloc. Je soupire en pensant à l'Apparition. Il aura occupé toutes mes pensées pendant cette colo. Mais juste mes pensées ! On n'aura même pas échangé une parole…

À 21 heures, Victoire a enfin trouvé une tenue qui lui plaît. Lou nous a prêté son mascara et un rouge à lèvres super gloss. Victoire a relevé ses longs cheveux en chignon et ça lui va trop bien ! Moi j'ai tressé les miens. On se regarde dans la glace en souriant.

– Tu es top ! je lui lance enthousiaste.

On se donne la main pour rejoindre notre salle transformée en boîte de nuit grâce aux trois boules lumineuses accrochées au plafond. Tom gère la musique et un buffet rempli de bonbons et de boissons nous attend déjà. Les copines de la team se sont maquillées et ont mis leurs plus jolies tenues. Les garçons ont fait moins d'efforts je trouve. À part Nicolas qui a dû vider un pot entier de gel sur ses cheveux. Quand on est au complet, Tom s'empare du micro.

– C'est VOTRE soirée ! Vous l'attendiez ! Le grand moment est arrivé !

Des cris et des sifflets fusent dans la salle.

– Ouh là ! Plus de temps à perdre ! Pour la team 10-12 ! Let's DANCE !

Tom lance la musique à fond et on se lève d'un bond pour danser. Lyès et Kyllian nous entraînent tous dans des figures de hip-hop et Victoire rit aux larmes en regardant Nicolas se déhancher comme un hippopotame. Judith et Pauline sont super souples et j'essaie de les imiter. Après cinq morceaux, on est en sueur.

– Tu n'as pas soif ? Tu veux un jus de fruit ? hurle Nicolas en se tournant vers Victoire.

Ma coloc suit son chevalier servant vers le buffet. Alors que je me tourne vers la porte, je découvre quelques curieux amassés dans le couloir. Parmi les visages qui surveillent notre soirée, il y en a un que je connais très bien.

– Coucou Lisa ! je lâche en me glissant dans le couloir. Qu'est-ce que vous faites plantés là ?

– Eux, ils espionnent, me répond ma sœur en montrant le reste de sa team. Moi non.

– Ah… Et tu fais quoi alors dans le couloir ? Tu le mesures ?

Lisa me regarde avec le même air que Lou quand elle m'explique la vie.

– Moi j'attends juste le moment où vous allez danser entre amoureux pour savoir comment on fait.

Je me mets à rire tandis que la voix de Nathan retentit dans mon dos.

– Allez ouste les lilliputiens ! On rentre dans sa team ! Ici c'est une soirée privée !

Les 8-10 s'évaporent en gloussant. À l'instant où je m'apprête à regagner la salle, mon cœur bondit dans ma poitrine.

L'Apparition est là.

Au bout du couloir.

Il avance tranquillement vers moi comme si je venais de l'appeler. C'est surnaturel.

Arrivé à ma hauteur, il s'arrête et murmure :

– Euh... Bonjour... Enfin. Euh... Bonsoir.

Comme j'ai un sens inné de la repartie, je lui réponds :

– Humpffff.

Et l'Apparition renchérit par un :

– Ouais.

Ensuite, on se regarde, aussi rouges l'un que l'autre.

– Euh... mon père m'a prévenu qu'il y avait une soirée ici, finit par lâcher l'Apparition. Je me suis dit que euh...

– C'est une super bonne idée ! je lâche sans attendre qu'il finisse sa phrase.

– Et... Tu crois que je peux entrer ?

J'ouvre la porte avant qu'il ne change d'avis et je m'écrie :

– Viens, je te présente !

Je me précipite vers Tom pour l'informer qu'on a un invité surprise.

– Hello Alex ! lance Tom en tapant dans la paume de l'Apparition. Ton père est en visite au centre ?

– Oui, il y a un cas de varicelle chez les 13-15, il paraît, répond « Alex » en rendant son shake à Tom.

J'en reste sans voix. Mon animateur connaît TRÈS BIEN l'Apparition !

– Mais… Tu as déjà rencontré Tom ?

– Je suis le fils du docteur du village, m'explique Alex. Mon père vient souvent au centre l'été pour s'occuper des malades. Parfois, je l'accompagne.

– Moi aussi je suis fille de docteur !

Aucun intérêt. Je suis sûre que l'Apparition s'en fiche complètement. Je me sens bête, je crois que je vais rejoindre Lou et sa team, histoire de coiffer quelques Barbie…

– Coucou ! Tu ne nous présentes pas ?

Victoire s'est approchée avec Nicolas. Ils se donnent la main !

– Euh, Victoire, je te présente l'Appar... Euh. Non. Je veux dire. C'est Axel en fait.

Je suis tellement rouge que je sens mes joues me brûler. Mon voisin précise avec un petit sourire :

– Non, je m'appelle Alexandre mais on m'appelle Alex. Et toi ?

– Moi aussi, je veux bien t'appeler Alex...

Comme tout le monde me regarde, je comprends que j'ai répondu complètement à côté.

– Je voulais juste savoir ton prénom ! m'explique l'Apparition qui est ENCORE plus beau quand il rit. Je n'ai pas entendu comment t'appelait ta copine l'autre jour sur la plage.

Je chuchote mon prénom alors que mon cœur se met en mode formule un.

Si Alexandre a essayé de connaître mon prénom, c'est que je l'intéresse ! Mais je n'ai pas le temps de creuser cette idée, parce que la musique change complètement.

Parfois le Destin est incroyable.

C'est le moment que choisit Tom pour programmer une série de slows ! Je suis face à Alex qui ne dit plus rien. Il me regarde et j'ai l'impression d'être sur un nuage moelleux.

– Euh... Tu veux danser, Laure ? me demande-t-il en se dandinant.

J'avale ma salive avant de saisir la main qu'il me tend.

Je me retrouve deux secondes plus tard sur la piste de danse. J'ai appuyé ma tête sur son épaule et il m'enveloppe de ses bras. Je vis un rêve éveillé. Je jette un œil au couple enlacé à côté de moi. Nicolas tient Victoire tout contre lui.

Ma coloc démarre son histoire d'amour, je crois.

Mais, une fois de plus, je n'ai pas le temps d'analyser la situation. Alexandre se penche vers moi et pose ses lèvres sur les miennes.

Waouh !

Comment s'appelle l'explosion qui détruit à la fois un cœur et un cerveau humains ? La Terre pourrait-elle s'arrêter de tourner s'il vous plaît ? C'est un cas d'urgence absolue.

Je suis carrément AMOUREUSE.

Toutes voiles dehors !

Aujourd'hui, le soleil brille à nouveau et la journée s'annonce géniale !

Après le petit-déjeuner, on a rangé la « boîte de nuit » qui est redevenue la salle de notre team. J'y ai vécu une soirée incroyable hier. Alexandre n'a pas pu rester jusqu'au bout mais la petite heure qu'on a passée ensemble était top ! On a dansé TOUS les slows et on a discuté un long moment enlacés sur les poufs.

Il m'a avoué que c'était lui qui avait pris la photo d'Albert et moi sur la plage.

– Je voulais garder un souvenir de toi si jamais je ne te revoyais plus. Et ensuite, j'ai eu l'idée de la proposer au service info de la mairie pour son site.

– Tu reviens demain ? je lui ai demandé au moment où son père venait pour le raccompagner.

– Je vais essayer, je te le promets ! a-t-il lancé avant de disparaître.

Je sais qu'on va se revoir, c'est obligé ! Mais, pour l'instant, je dois rester concentrée puisque ma team participe à une compétition de planche à voile.

– Je viens de croiser la directrice, m'informe Victoire alors qu'on sort sur la plage. Après la compèt, elle veut nous montrer notre film Plage Propre qui a été mis en ligne sur le site de la mairie.

Je lève mon pouce mais je dois manquer d'enthousiasme parce que ma coloc déclare :

– Laure ! Tu as une drôle de tête. On dirait MOI au début du séjour !

– Non, c'est cool ! Je suis contente de savoir que notre projet a abouti.

– Mais... tu es sûre que tu es en forme ?

Sans lui répondre, je l'entraîne vers notre groupe réuni sur le sable. Je me sens un peu fatiguée, mais plutôt mourir que de louper cette matinée pendant laquelle notre team va se mesurer à celle des 13-15. Les planches à voile sont prêtes et une bouffée d'adrénaline m'envahit.

– Vous devrez atteindre la bouée rouge le plus vite possible, nous explique Ken. On additionnera les performances individuelles de chaque team et on obtiendra un total qui permettra de connaître l'équipe gagnante.

Des cris retentissent dans les deux teams, puis les premiers candidats planchistes s'élancent...

Victoire est la quatrième de notre groupe à se préparer. Elle ne voulait pas participer au challenge mais Nicolas et moi, nous l'avons super coachée pour la persuader. On lui crie notre hymne.

– Colo glisse ! Ouh là ! Un dé-li-ce !

Elle monte sur sa planche en grimaçant et elle s'élance. Malgré deux chutes, elle s'en sort très honorablement. Elle pousse des cris de bête à l'arrivée.

– J'AI RÉUSSI ! hurle-t-elle en sautillant sur la planche. Je suis comme Laure, the QUEEN OF THE PLANCHE !

Elle lève les bras avec enthousiasme et… elle tombe à l'eau !

Malheureusement, après son passage, notre retard est de plus de deux minutes. Nathan, Nicolas et Amandine qui passent en septième, huitième et neuvième position grignotent quelques secondes et, quand vient mon tour, notre team a une minute vingt de retard.

Je suis la dixième donc autant dire que la victoire repose sur moi. Je suis hyper nerveuse. Toute la team m'entoure et on crie une dernière fois notre hymne. Ensuite, je saisis ma voile comme si ma vie en dépendait et je l'incline dans le sens du vent.

Je ne sens plus rien. Ni fatigue. Ni stress. Ni inquiétude.

C'est comme si je m'envolais.

Ma planche file au ras de l'eau et pas une seule fois je ne suis en déséquilibre. J'atteins la bouée rouge en moins de trois minutes ce qui constitue THE record !

J'entends mon groupe pousser des hurlements de bonheur. On vient de doubler nos concurrents.

Je rejoins la plage et je m'écroule sur le sable, heureuse mais épuisée !

C'est au moment où j'enlève ma combi que je les aperçois…

Trois petits boutons rosés sur mon ventre.

Je fronce les sourcils avant de réaliser que je suis en train de gratter un AUTRE bouton derrière mon oreille.

Les copains de la team m'entourent et j'ai du mal à supporter leurs cris. J'ai la tête qui tourne.

– Ouh là ! Tu as l'air crevée, toi ! lance Tom qui s'agenouille à mes côtés. Une petite baisse de régime ?

Il me fixe avant de déclarer :

– Je crois que tu vas aller te reposer dans ta chambre, Laure.

Dans la team, plus personne ne crie… Ils me regardent avec un drôle d'air. J'aperçois d'ailleurs un autre bouton sur mon genou. Et un autre à la base de mon poignet. J'ai une envie furieuse de me gratter.

Pour la première fois depuis mon départ, je souhaite que mon père soit là... avec sa trousse médicale à la main !

Mais le docteur Juin étant un peu loin, c'est... le père d'Alexandre qui vient m'examiner. Je n'ose pas lui parler de son fils. D'autant plus qu'en une heure, mon état a empiré et que je ne suis vraiment pas en forme.

– Tu as attrapé la varicelle, lâche-t-il après m'avoir examinée. Il y a quelques cas isolés en ce moment. Il va te falloir du repos. Je vais demander qu'on te prépare un lit à l'infirmerie du centre pour éviter les contacts avec les vacanciers qui ne l'ont pas eue.

Tom, qui attendait le diagnostic, hoche la tête en précisant qu'il va s'occuper de mon transfert. J'ai les larmes aux yeux et j'essaie d'éviter la cascade en serrant très fort les paupières comme le fait si souvent Luna. Victoire passe la tête par la porte entrebâillée.

Lorsque Tom lui chuchote la nouvelle, elle devient encore plus pâle que moi.

– Mais qu'est-ce qu'elle va faire TOUTE SEULE ? s'écrie-t-elle. Soyez sympa docteur, laissez Laure avec nous !

– Cette demoiselle a la varicelle, lâche le docteur en s'éloignant. Je peux juste l'autoriser à se reposer.

– Je n'ai plus aucune chance de revoir Alexandre, je chuchote à Victoire en grimaçant.

La suite se passe à l'infirmerie. Tom a veillé à ce que j'aie des magazines, mon carnet à dessin et de quoi écouter de la musique. Lisa et Lou sont les premières à me rendre visite.

– Tu étais la seule des quatre L à n'avoir jamais eu la varicelle ! déclare Lou en s'asseyant près de moi.

– J'ai lu qu'il valait mieux l'avoir enfant qu'adulte, m'explique Lisa, parce que c'est très pénible quand…

– … on rate la dernière soirée sympa à la colo ! je la coupe en soupirant.

Mes deux sœurs se blottissent contre moi. À nous trois, on forme une demi-bulle Juin, celle qui éloigne les chagrins.

Quand elles me quittent, ma team les remplace. Tous mes amis ont déjà eu la varicelle. Ils ont donc l'autorisation de venir me voir.

– Tu vas trop nous manquer, Laure ! affirme Nicolas qui, pour une fois, ne plaisante pas.

– Ce ne sera pas une soirée réussie pour moi, me chuchote Victoire. On a prévu un karaoké géant mais je crois que je chanterai faux…

J'ai les larmes aux yeux quand je les vois partir. Mais je me sens bien trop fatiguée pour essayer de les rejoindre.

Tom m'apporte un dîner léger vers 20 heures. Ken et Alexis, les deux profs de glisse, me font un petit coucou à travers la vitre en levant un panneau griffonné à la main.

ON N'A JAMAIS EU LA VARICELLE ! DSL !!!

J'arrive à sourire en leur adressant un signe de la main.

– Laure !

Le médecin passe la tête dans ma chambre.

– Je ne te réveille pas ? Je viens voir si ta fièvre est tombée…

J'ai à peine le temps de me redresser sur mon oreiller qu'une deuxième silhouette se découpe devant ma porte entrouverte.

– Je t'amène de la compagnie puisque, d'après ce que j'ai compris, tu n'aimes pas être seule, annonce le docteur avec un sourire. J'ai quelques visites à faire dans le coin.

Il pose alors la main sur l'épaule du garçon qui l'accompagne. Au moment où je découvre son visage, mon cœur bondit.

– Coucou Laure ! Ça va ? Pas trop fatiguée ?

Je dégaine mon sourire super cool avant de réaliser que je dois avoir une dizaine de boutons.

– Euh... Ce n'est pas la super forme mais je suis contente de te voir !

Impossible de masquer les boutons de varicelle qui parsèment mon visage. Je me sens super moche et c'est trop injuste.

– Tu sais ce qui est drôle ? lâche Alex en s'asseyant à côté de moi. C'est que, moi aussi, je fais partie du club !

Mon ex-Apparition sort de l'ombre.

– Un, deux, trois, quatre et cinq ! compte-t-il en désignant les boutons qui sont apparus sur son visage.

Il me sourit et je suis à nouveau très haut dans le ciel.

– Je pense que mon père en a encore pour une heure, m'explique-t-il en prenant ma main. Tu vas pouvoir me montrer TOUS les dessins dont tu m'as parlé hier.

Quelle chance cette varicelle, finalement !

J'adooore être malade !

Adieu colo, bonjour Alexandre

– Alexandre est resté avec moi jusqu'à 10 heures hier soir.

Victoire sourit à s'en décrocher la mâchoire.

– On est venus vers 21 h 30, Nicolas et moi, m'explique-t-elle. On s'est approchés de ta chambre sur la pointe des pieds parce qu'on croyait que tu dormais. Quand on t'a vue en pleine discussion avec lui, on a préféré rester discrets.

– C'est drôle, son père aussi est médecin!

Ma coloc rit carrément avant de lancer :

– Je savais que l'Apparition était un « fils de »! J'avais raison!

– Oui... Il était au centre l'autre matin car son père est passé voir un malade avant de le déposer au club de plongée. Dommage qu'on se rencontre seulement à la fin de la colo...

– Ne te plains pas! rétorque ma copine. Grâce à ta varicelle, tu gagnes quelques heures de plus. Alexandre aura le temps de te dire au revoir d'ici ton départ!

Je serre la main de Victoire dans la mienne. Notre team s'apprête à se disloquer pour de bon! Les copains de la bande prennent un bus en même temps que ma coloc. On est à H moins 30 minutes de leur départ. Les Steph au carré viennent me chercher en voiture. Ils n'ont pas voulu que je reparte en train puisque je suis encore malade. Ils arriveront dans l'après-midi.

– Coucou Laure ! Devine qui est là ?

Lou passe la tête par la porte de l'infirmerie. Elle a un sourire de vingt mètres de large. J'en déduis que ses amours sont au beau fixe.

– C'est Ken ? Mais il m'a dit qu'il n'avait jamais eu la varicelle, je lâche étonnée. Il devrait rester…

– Qui c'est Ken ? demande Maxime qui se montre à son tour.

– Qui c'est lui ? me chuchote Victoire qui a du mal à suivre.

J'embrasse l'ancien ex-petit ami de Lou qui m'explique qu'il passait « par hasard » dans la région avec un copain.

– C'est fou les coïncidences ! insiste Lou avec un air béat.

Les deux amoureux finissent par nous quitter.

– On dirait qu'ils vont se marier demain ! commente Victoire.

– Ouais… On s'appelle la semaine prochaine, je te raconterai leur nouveau divorce, je réplique en haussant les épaules.

– Je n'attendrai pas la semaine prochaine pour t'appeler, Laure ! Je te téléphone dès demain.

Je serre encore plus fort la main de Victoire. Je la dévisage un long moment pour garder en mémoire son drôle de sourire un peu triste.

– Dis donc ! je lance soudain, tu ne vas pas me quitter comme ça ! Tu m'avais promis de m'expliquer pourquoi tu chantes aussi bien. C'est quoi ce secret que tu devais me confier ?

Un doigt sur sa bouche, elle sort de son sac une photo qu'elle me tend. Je la découvre posant à côté de DJ Bryan.

– Tu connais DJ Bryan ? je m'étonne. Tu l'as rencontré où ?

Victoire baisse les yeux et contemple la photo. Ensuite, elle murmure :

– Je suis sa fille, Laure. Et ma mère est la choriste que tu vois dans ses clips.

Je suis carrément scotchée. Ma coloc est juste la fille d'un des chanteurs les plus connus du moment chez les ados !

– Waouh ! je finis par articuler.

– Tu comprends pourquoi je ne veux JAMAIS le dire ? lance Victoire. Tu ne me regardes déjà plus comme avant... Souviens-toi de la réaction des garçons devant ta photo sur le site de la commune. Ils ont dit que tu étais une star ! Tu imagines s'ils avaient su qui je suis réellement ? C'est pour ça que mes parents insistent toujours pour m'envoyer en vacances incognito. Ils veulent que je me mélange à tout le monde. Et qu'on arrête de m'appeler « la fille de ». Sauf que moi, je dé-tes-te VRAIMENT la mer, les colos et la glisse. Enfin, je détestais. Avant de venir ici…

Je prends ma coloc dans mes bras.

– Pour moi, tu resteras TOUJOURS la Victoire de Saint-Gilles-sur-Mer ! Celle qui pleure dès qu'il faut aller sur la plage et qui rit quand il pleut. Celle qui a rendu mes vacances tellement plus drôles. Ma copine quoi !

– On se retrouve l'an prochain au même endroit ? Avec notre secret bien gardé ? me demande Victoire.

– Bien sûr qu'on se retrouve ! Sans boutons de préférence.

Victoire essuie les larmes qui coulent sur mes joues. Pour une fois, c'est moi qui ruisselle ! Les copains de la team déboulent dans ma chambre pour les bisous d'adieu. On lance une dernière fois notre hymne avant qu'ils disparaissent pour de bon.

Victoire me manque déjà.

Et je me fiche qu'elle soit la fille de DJ Bryan ! Mais je sais enfin pourquoi à chaque fois qu'elle chante, j'ai la chair de poule. Elle baigne dans la musique depuis toujours. Elle m'a avoué qu'elle joue du piano depuis qu'elle est toute petite, qu'elle assiste à des tonnes de concerts, qu'elle va souvent écouter ses parents répéter en studio d'enregistrement. C'est une affaire de famille !

En parlant de famille, je suis contente de revoir Luna ! Et les Steph au carré.

Je suis triste de partir mais heureuse de les retrouver. J'ai juste le temps de savourer encore un peu de liberté et...

– Laure !!! Coucououou !

La porte s'ouvre d'un coup et une tornade se jette sur mon lit.

– Luna ! On t'a dit que ta sœur est malade et fatiguée.

Je suis tellement stupéfaite de voir mes parents et ma petite sœur que je ne réagis pas. Luna s'accroche à mon cou et me couvre de bisous.

– Mais vous deviez arriver cet aprèm, je lâche après avoir embrassé ma sœur.

– Cache ta joie, ma chérie ! déclare maman en me serrant contre elle. On a décidé de partir hier soir, on a roulé de nuit pour être sûrs de te récupérer au plus vite.

– On ne voulait pas laisser notre Lolo à l'infirmerie seule et malheureuse, ajoute papa en m'embrassant à son tour.

– Je suis tout sauf seule et malheureuse, je proteste. Et...

– Eh ben moi chez tatie Caro, j'ai fait un super dessin pour toi et un autre pour Lisa. Et j'ai même pas dépassé quand je l'ai colorié. T'es contente hein?

Luna me tend son œuvre et je jette un œil dessus alors qu'on frappe à la porte. Papa se lève pour ouvrir et tombe nez à nez avec Alexandre.

– Euh… Excusez-moi, bafouille celui-ci en devenant tout rouge.

– T'es qui toi? lui demande Luna qui s'est approchée.

– Maman, papa, Lunaaaaaa ! crie Lisa qui entre en trombe dans la chambre.

Mes deux petites sœurs poussent des cris de joie en tombant dans les bras l'une de l'autre. Alex reste immobile, toujours aussi écarlate.

– Tu es un copain de Laure ? questionne mon père en essayant de couvrir les cris des deux petites L.

– Hello tout le monde ! Contente d'avoir de vos news en direct ! s'écrie Lou qui entre à son tour dans la pièce en bousculant Alex. Maxou est ici aussi ! C'est dingue non ?

– Vous savez quoi ? lance Lisa. J'ai écrit un journal de bord pendant ma colo et je vais TOUT vous lire dans la voiture pendant le voyage ! C'est chouette hein ?

– Trop COOOL ! commente Luna en sautillant.

Maman applaudit avec enthousiasme. Papa paraît un peu moins ravi.

– Heureusement que je ne rentre pas avec vous, me chuchote Lou moqueuse.

Alexandre n'a toujours pas bougé. Il a l'air désespéré. Je pense qu'il doit être fils unique.

– Tu voulais peut-être parler à Laure ? finit par lui demander mon père.

– Euh… Juste lui dire au revoir, murmure mon Apparition préférée. Mais je reviendrai plus tard.

– Ben nous, on sera plus là euh ! explique Luna. On s'en va à Paris euh !

Je ne fais même pas les gros yeux à ma petite sœur. De toute façon, mon Apparition ne voudra JAMAIS reparler à une fille qui a une famille aussi bruyante. Lui et moi, c'est une histoire qui meurt avant d'avoir commencé.

– Alors je vais devoir monter à Paris pour lui dire au revoir ! lance Alex un peu plus fort.

Il y a un silence total dans la chambre.

Il me semble que mes sœurs et les Steph au carré viennent de comprendre d'un seul coup.

– On habite au 8 rue Troucade 75 mille zéro zéro 4 PARIS et le téléphone de Lou ou de maman, il faut leur demander, finit par lâcher Luna. Comme ça, tu peux appeler avant.

On éclate tous de rire. Alex aussi !

Finalement, on va peut-être se revoir lui et moi…

TABLE DES MATIÈRES

L'AUTEUR

Sophie Rigal-Goulard est la cadette d'une famille de trois filles. Ses souvenirs d'enfance lui sont très utiles pour faire vivre des aventures aux quatre L ! Elle puise aussi dans les histoires que lui racontent les enfants de son entourage.
Des plus jeunes aux ados, elle adore leur compagnie et elle passe beaucoup de temps à discuter avec eux. Elle les trouve drôles, pertinents et souvent pleins de sagesse !
C'est pour cette raison qu'elle aime participer à des rencontres ou des salons du livre : elle y croise ses lecteurs et elle est ravie !
Vous pouvez aussi la retrouver sur son site www.sophie-rigal-goulard.fr

L'ILLUSTRATRICE

Diglee est une jeune illustratrice au sang anglais, fan de Lady Gaga, de paillettes, de chaussures et des années folles. Elle travaille beaucoup pour la jeunesse, surtout pour les préadolescentes. Née à Lyon, elle a passé son bac littéraire et est sortie diplômée de l'école Émile-Cohl en 2009.
Elle tient un (passionnant) blog BD dans lequel elle raconte ses péripéties du quotidien (doublement passionnant !), qu'elle a adapté en album, *Autobiographie d'une fille gaga.*
Vous pouvez la retrouver sur les salons (elle adore faire des dédicaces !) et sur son blog : diglee.com

Retrouvez la collection

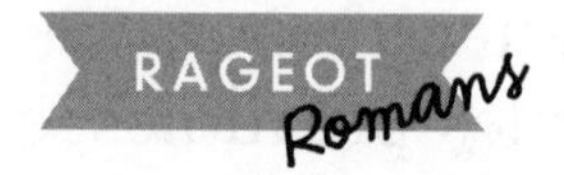

sur le site www.rageot.fr

RAGEOT s'engage pour l'environnement en réduisant l'empreinte carbone de ses livres
Celle de cet exemplaire est de :
500 g éq . CO_2
Rendez-vous sur
www.rageot-durable.fr

Achevé d'imprimer en France en janvier 2018
sur les presses de l'imprimerie Jouve, Mayenne
Dépôt légal : février 2017
N° d'édition : 5463 - 04
N° d'impression : 2678855T